Les CROIX de CHEMIN

au temps du bon Dieu

© les éditions du passage
1115, avenue Laurier Ouest
Outremont (Québec) H2V 2L3
Tél.: 514.273.1687
Téléc.: 514.908.1354

Diffusion pour le Canada :
PROLOGUE
1650, boul. Lionel-Bertrand
Boisbriand (Québec) J7E 4H4
Tél.: 450.434.0306
Téléc.: 450.434.2627

Conception graphique : Nicole Lafond
Traitement des images : Photosynthèse

Catalogage avant publication de Bibliothèque et Archives nationales
du Québec et Bibliothèque et Archives Canada

Oliver-Lloyd, Vanessa, 1975-

Les croix de chemin au temps du bon Dieu

Comprend des réf. bibliogr. et un index.

ISBN 978-2-922892-28-4

1. Croix de chemin - Québec (Province) - Ouvrages illustrés. 2. Calvaires - Québec
(Province) - Ouvrages illustrés. 3. Croix de chemin - Québec (Province). 4. Québec
(Province) - Histoire. I. Arcand, Bernard. II. Duchastel, Julia, 1982-   . III. Titre.

CC350.C2O44 2007   246'.55809714   C2007-941235-1

Dépôt légal :
Bibliothèque nationale du Québec
Bibliothèque nationale du Canada
3e trimestre 2007

Nous remercions de son soutien financier
Le Gouvernement du Québec – Programme de crédit
d'impôt pour l'édition de livres – Gestion SODEC.
Nous remercions le Conseil des Arts du Canada
de l'aide accordée à notre programme de publication.

Les CROIX de CHEMIN
au temps du bon Dieu

Photographies de Vanessa Oliver-Lloyd

Propos et poésie de bernard arcand + jean bédard + léandre bergeron + serge bouchard

raôul duguay + claude gagnon + michel garneau + jacques gauthier + marguerite lescop

hélène pedneault + sylvain rivière + claude turmel + claire varin + Préface de jean simard

Recherche et rédaction + julia duchastel

les éditions du passage

Merci à Louise Mailhot qui, en parlant des photos de sa fille, a ouvert

la voie à cette collaboration avec les éditions du passage. Également

un gros merci à Jean-Christian Brillant, mon complice de la route et

de la vie, qui a bien voulu me faire découvrir les endroits cachés de

sa Gaspésie natale.

Vanessa Oliver-Lloyd

Boulevard Lévesque, Laval

Avant-propos

C'est à Montréal, rue Jean-Talon, que Vanessa Oliver-Lloyd aperçoit une croix de chemin pour la première fois. Perdue dans le fouillis urbain, surprise d'être encore debout, la croix se tient dans l'ombre, devant un poste d'Hydro-Québec. Photographe et paléoanthropologue, Vanessa s'intéresse alors à ces grandes oubliées qui signent nos paysages. Passionnément, elle sillonne les routes du Québec; de Grenville à Sainte-Pétronille, de la Mauricie à Charlevoix, elle photographie plus de deux cents croix et calvaires. Elle nous présente ici ces témoins silencieux de la marche du temps, nous dit combien il est encore possible de s'émouvoir devant une peinture craquelée, un détail naïf, la commémoration d'une promesse tenue.

Bien des ouvrages scientifiques ont été écrits sur le sujet, manifestations d'une recherche sérieuse et profonde de nos ethnologues, historiens et sociologues. Notre livre n'a pas cette prétention. Nous avons lu attentivement nombre de publications sur le sujet et en avons réalisé une synthèse afin de rendre accessible ce temps fort de notre patrimoine. *Les croix de chemin au temps du bon Dieu* sont une invitation à revisiter nos racines profondes et, surtout, la part d'imaginaire de nos ancêtres.

Nous avons rencontré plusieurs passionnés de croix de chemin qui ont contribué grandement à cet ouvrage et à qui je dis toute ma reconnaissance : Jean Simard, Gilles Gosselin, Pierre Wilson, Isabelle Éthier, Georges Bertrand, Jean-Claude Dupont, René Chartrand. Nous avons aussi demandé à des écrivains, anthropologues et historiens de nous raconter leurs croix de chemin. Je les remercie de leur inspiration.

En vous souhaitant un bon voyage au pays des croix.

Julia Duchastel, éditrice

Chemin du Roy, Saint-Viateur

Préface

Les croix de chemin sont au paysage culturel du Québec ce que sont les érables à sucre à son paysage naturel. Les unes et les autres n'existent pas beaucoup ailleurs en Amérique du Nord et ils se retrouvent massivement ensemble dans le sud du Québec, comme si les croix et les érables étaient faits de la même substance, pour tout dire du même bois. Plus encore, ils se présentent au regard des gens d'ici comme autant de soldats au garde-à-vous prêts à défendre l'identité nationale. Et cela remonte à loin. En 1916, la Société Saint-Jean-Baptiste de Montréal publie les textes soumis à un premier concours littéraire ayant pour thème « La Croix du chemin ». Pour son quatrième concours, dont le recueil paraîtra en 1919, le thème retenu sera tout naturellement cette fois, « Au pays de l'érable ». Dans la préface du recueil de 1916, le critique littéraire Camille Roy pouvait affirmer à propos des liens entre croix de chemin et identité nationale : « La Société Saint-Jean-Baptiste de Montréal a compris ces conditions nécessaires [que la littérature soit d'inspiration religieuse et patriotique] de notre vie intellectuelle, et elle a montré, par le choix du sujet de son premier concours, sa préoccupation louable de contribuer à la nationalisation de notre littérature. » À cette époque, faut-il le rappeler, la nation était canadienne-française. Pour les militants du mouvement patriotique, la nation avait sa souche principale sur les rives du Saint-Laurent, mais ses rameaux flottaient partout sur le continent, de la vieille Acadie à la Nouvelle-Angleterre et à la Louisiane jusqu'aux plaines de l'Ouest colonisées par Riel et les siens au XIXe siècle. Dès lors il fallait s'attendre à ce que la colonisation imprime dans les nouveaux paysages sans érables le fameux symbole « d'inspiration religieuse et patriotique » qu'était la croix de chemin.

Dans quelle mesure ces croix marquent-elles les frontières culturelles des francophones dans le Canada d'aujourd'hui ? Il faut d'abord déterminer qu'il existe trois types bien distincts parmi les quelque 3000 croix qui bordent les chemins du Québec. Premier type : *la croix simple*, celle qui n'a aucun ornement, ni à la hampe ou à la traverse, ni à l'axe ou aux extrémités. Deuxième type : *la croix aux instruments de la Passion*. Ces symboles varient quant à leur nombre ainsi qu'à la place qu'ils tiennent sur la croix, mais leur répertoire est assez fixe : lance, éponge, marteau, clous et couronne d'épines constituent habituellement la base de cette panoplie. Troisième et dernier type : *le calvaire,* abrité ou non. Le calvaire montre les personnages de la Passion : d'abord le Christ, parfois la Vierge et saint Jean, plus rarement les larrons ou Marie-Madeleine. Ces trois grands types se reconnaissent un peu partout au Québec mais avec un poids différent selon les régions. La croix simple se retrouve davantage dans les régions maritimes : Gaspésie, Côte-Nord. Celle aux instruments de la Passion se voit surtout dans les grandes régions agricoles : Montréal, Estrie, sud de Québec. Les calvaires sont présents un peu partout sur le territoire, mais les plus anciens suivent les anses du grand fleuve et du Saguenay, de Yamaska à Saint-Germain de Kamouraska et de La Baie à Saint-Prime au Lac-Saint-Jean. Ces observations aident à comprendre de quelles régions proviennent ceux que l'on appelait autrefois « nos frères séparés ».

Du côté de l'Acadie, seul le Nouveau-Brunswick possède des croix de chemin. Une trentaine s'alignent le long de la route qui relie Campbellton à Moncton. Qu'est-ce qui caractérise ces croix sur le plan formel ? Presque toutes appartiennent au premier type identifié au Québec : la croix simple. Mais un cas d'exception recueilli dans l'autre partie française de la province, qui forme, avec une tranche du Québec et du Maine, la non officielle « République du Madawaska ». Cette croix, abondamment ornée, se rapproche plus, d'une certaine façon, du deuxième type et elle n'a rien de commun avec celles du nord-est de la province. Pourquoi ? La région de Madawaska est contiguë au Témiscouata québécois qui possède à lui seul quarante-sept croix, dont un bon nombre relèvent du deuxième type. Quant aux croix du nord-est, elles se situent plutôt dans le prolongement de celles de la Gaspésie et en reprennent la configuration. Les croix de chemin du Nouveau-Brunswick seraient ainsi plus québécoises qu'acadiennes. Il sera bien sûr toujours difficile de prouver quoi que ce soit sur l'origine des croix de chemin de l'Acadie parce que l'occupation de ses côtes est aussi ancienne que celle des rives du Saint-Laurent. Il en va tout autrement du Manitoba où les Québécois se sont installés tardivement, au début du XIXe siècle.

C'est en 1818 qu'une trentaine de Québécois et de Québécoises fondent Saint-Boniface et transplantent sur les bords de la rivière Rouge, qu'ils colonisent peu à peu, les coutumes et les usages de leurs pères et de leurs mères. Certaines de ces coutumes ont été inscrites très tôt dans le paysage, telles les « fermes en long » dont l'inspiration venait tout droit du système du rang pratiqué au Québec depuis le xviie siècle. Aujourd'hui encore, le paysage manitobain garde des traces concrètes de la survivance de ces anciens Québécois, et les croix de chemin qui s'y trouvent, presque aussi nombreuses qu'en Acadie, en constituent l'exemple le plus éloquent. À la différence de ces dernières, leur typologie est plus variée, un peu à l'image du Québec lui-même.

Comment expliquer que nous retrouvions dans les lointaines prairies les trois grands types de croix québécoises alors que l'Acadie n'en a gardé qu'un seul ? D'une part, il faut savoir que la baie des Chaleurs est devenue la *mare nostrum* des Acadiens qui vivent sur l'une et l'autre de ses rives, au Nouveau-Brunswick et en Gaspésie. Que les Acadiens des deux provinces ont longtemps entretenu des rapports que les liens de parenté contribuaient à solidifier et à prolonger. Il n'est donc pas étonnant que leurs croix de chemin forment une sorte de chapelet autour de cette nappe d'eau et que les grains soient plus ou moins identiques. Il en va tout autrement de la communauté franco-manitobaine dont les origines sont beaucoup plus diversifiées. Rien de surprenant donc à ce que la diversité des croix de chemin de la partie française de cette province soit un peu à l'image de sa population qui provient des parties les plus anciennes du Québec.

Dans quelle mesure les croix de chemin marquent-elles les frontières culturelles des francophones au Canada ? À l'image des anciennes voies romaines qui encerclaient de bornes la Méditerranée, les croix rappellent bien modestement le vieux rêve de Québécois qui, comme le curé Labelle, « le Roi du Nord », entretenaient l'idée d'ériger d'Atlantique à Pacifique un empire français en Amérique du Nord. Ce beau recueil d'images et de textes que nous proposent aujourd'hui les éditions du passage saura, à n'en pas douter, raviver auprès du grand public l'intérêt pour ces soldats au garde-à-vous qui protègent l'identité nationale ou en gardent le souvenir jusqu'à ses postes les plus avancés.

Jean Simard

Nos CROIX

Au bord du fleuve immense et le long des chemins,

Comme un poème doux qu'on fait stance après stance,

Nos pères ont planté, de distance en distance,

De hautes croix de bois qui sont nos parchemins.

À genoux à leur pied, parmi les blancs jasmins,

Ils venaient implorer la divine assistance,

Pour que le champ nouveau donnât la subsistance

Et que l'humble foyer eût d'heureux lendemains.

Quand on passe devant, homme ou femme, on salue.

Chez nous, bons campagnards à l'âme résolue,

Patriotisme et foi sont fortement ancrés.

Elles sont là toujours sous l'azur ou l'averse ;

Et pour que nos enfants aient des abris sacrés,

On les remet debout quand le temps les renverse.

Pamphile Lemay

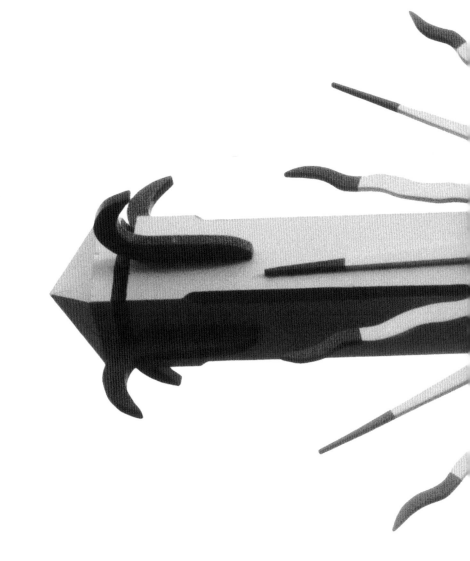

Rue Jean-Talon, Montréal

DU MENHIR À LA CROIX

Il y a environ deux à trois mille croix de chemin au Québec. Elles longent les routes ou s'élèvent au carrefour des rangs. Pour qui sait les débusquer, les apercevoir au tournant, les croix marquent le paysage, le figurent et le jalonnent. La plupart des croix sont très simples, faites généralement de bois, parfois de métal. S'y accrochent un cœur, une lance, une échelle, un coq, ou quelque autre instrument de la Passion. Elles sont souvent ouvragées, portant des motifs géométriques ou fleuronnés, quelquefois une niche abritant une statuette de la Vierge, de Jésus ou de saints. Ces croix-là, quand elles tombent, parfois on les remplace, parfois non.

Quand il y a un Christ en croix, on dit alors que c'est un calvaire. Le Christ est souvent représenté avec Marie-Madeleine à ses pieds ou accompagné des deux larrons crucifiés ; le monument est surmonté d'un dais qui le protège des intempéries. Ces calvaires-là ne tomberont pas.

À l'origine, ce sont les découvreurs du Canada qui plantèrent les premières croix en signe de possession du territoire. Puis, au XVIIIe siècle, les croix se sont faites de plus en plus nombreuses au fur et à mesure que les colons s'installaient le long du Saint-Laurent. On ouvrait un chemin et on plantait une croix, on défrichait une nouvelle terre et on en plantait une autre, la première tombait et on la remplaçait.

Voyageurs, colons et agriculteurs ont érigé des croix pour plusieurs raisons : commémorer un événement ou une mort soudaine, signifier la présence d'une église, remercier pour une faveur accordée, y faire des dévotions lorsque l'église du village était trop éloignée. On la fait bénir par le curé, puis on s'y rassemble pour célébrer le mois de Marie, prier, conjurer le mauvais sort. Lorsqu'ils passent devant, les hommes se découvrent, tandis que les femmes et les enfants se signent.

4904. **Dol** — Le Menhir du Champ Dolent G. F.

Collection GERMAIN fils aîné, Saint-Malo

Un HÉRITAGE PAÏEN

On retrouve en Bretagne, isolés ou disposés en alignement, des menhirs érigés par les peuples du néolithique pour sacraliser certains lieux et honorer leurs morts. Divinités et territorialité vont de pair dans ces cultes anciens ; les dieux exercent leur puissance dans une zone délimitée, circonscrite. Les premiers missionnaires chrétiens ne voulurent pas heurter les cultes locaux. Ils reprirent ce matériau, le granit, d'abord pour y graver des croix, ensuite comme socle pour les y planter. On retrouve d'ailleurs en Bretagne des menhirs ornés des instruments de la Passion où apparaît tantôt l'échelle, tantôt la Vierge pleurant aux pieds du Christ. La croix marque le territoire au même titre que le menhir. Planter une croix, c'est aussi sacraliser un lieu. Les plus anciennes tracent les frontières d'un christianisme celtique ; on les retrouve surtout en Basse-Bretagne, en Irlande, en Écosse et au pays de Galles. Dans toutes les régions de France, on dénombre aujourd'hui entre 15 000 et 20 000 croix de chemin, quoiqu'elles diffèrent par leurs formes et leurs matériaux.

MENHIR CALVAIRE DE ST-DUZEC EN PLEUMEUR, PRÈS LANNION
MONUMENT PAIEN ORNÉ D EMBLÈMES CHRÉTIENS (EXEMPLE DE GREFFE RELIGIEUSE)

Route 132, Le Bic

Sainte-Luce-sur-Mer

Louis-Charles Bombled, *Jacques Cartier prend possession du Canada*

Les CROIX DU NOUVEAU MONDE

Les découvreurs venus d'Europe, suivant une tradition vieille comme le monde, inscrivent leur marque sur le territoire conquis. Ainsi la croix fait-elle son entrée en Amérique. Au Canada, c'est Jacques Cartier qui plante les premières croix. En juillet 1534, sous François Ier, il débarque à *Gespeg* (*bout de la terre* en langue micmaque) et, après avoir mis à l'abri équipages et bateaux, plante dans cette terre nouvelle une croix où l'on peut lire, sur un gros écriteau en bois, *Vive le roi de France !* Donnacona, chef iroquoien de Stadaconé venu pêcher dans la baie de Gaspé, se montre fort irrité par cette prise de possession. Le climat est tendu. Cartier, voulant protéger ses arrières, prétend que cette croix n'est qu'un simple repère pour ses prochaines navigations… Aussi bien l'iconographie que les récits de l'époque donnent de cet événement fondateur une image autrement plus reluisante. La description de cette journée a d'ailleurs été consignée par Cartier dans son journal :

« Le XXIIIIe jour dudict moys, nous fismes faire une croix de trente pieds de hault, qui fut faicte devant plusieurs d'eulx, sur la poincte de l'entrée dudit Hable, soubz le croysillon de laquelle misme ung escriteau en boys, engravé en grosse lettre de forme, où il y avait, Vive le Roy de France. Et icelle plantasmes sur ladicte pointe devant eux, lesquelz la regardoyent faire et planter. Et après qu'elle fut eslevé en l'air, nous mismes tous à genoulx, les mains joinctes, en adorant icelle devant eux, et leur fismes signe, regardant et leur montrant le ciel, que par icele estoit nostre redemption, dequoy ils firent plusieurs admyradtions, en tournant et regardant icelle croix. » [1]

Samuel de Champlain, *L'abitasion du port royal.* À droite : 1. Château-Richer, 2. Île d'Orléans, 3. Douglastown

Un CALVAIRE EN CANADA

Parmi les témoignages des premiers découvreurs, colons et missionnaires faisant foi de l'érection de croix dans la jeune colonie, on retrouve un dessin instructif de Samuel de Champlain. En esquissant la fortification de Port-Royal en Acadie dans ses *Voyages* en 1605, il nous révèle un des premiers calvaires au Canada. Ce calvaire, exceptionnel pour l'époque — on se limitait habituellement à planter une simple croix — marque l'emplacement du cimetière de la frêle colonie. En 1613, lorsque le capitaine anglais Argall attaque Port-Royal, le père Pierre Biard, alors missionnaire en Acadie, note :

« Les troupes brûlèrent nos fortifications et abattirent nos croix, en dressant une pour marque qu'ils se saisissent du pays comme seigneurs. Cette croix portait le nom gravé du Roi de la Grande-Bretagne. » [2]

Route 132, Tourelle

À partir d'en haut : 1. Capucins, 2. Sainte-Famille, 3. Rivière-à-Claude

Route 138, Berthierville

Boulevard de la réparation

Serge Bouchard

La croix de chemin est moins catholique qu'on pense. Tout comme l'angoisse individuelle est moins moderne qu'on dit. Depuis la nuit des temps, sur la route, il s'est trouvé un « je » pour dire à l'arbre ou à la pierre, en celte, en alaman, en algonquin, en arawak, en bantou, en basque, en slavon ou en vieux français : Ô croix, donne-moi la chance et la force de mon prochain pas, et de cela je t'en prie ! Il faut, sur terre, se reconnaître, se situer dans l'espace. Savoir où nous *en* sommes. Et de là, tracer sur le sol le X de la reconnaissance.

Signes et signalisations sont autant de messages lancés par les âmes perdues durant leur grand voyage. La première croix fut obligatoirement une croix de chemin. Bien sûr, les chemins se croisent mais, plus important encore, nous nous croisons en chemin. Les routes sont faites pour la rencontre. Et la rencontre primale, c'est celle que l'on fait avec soi-même ; la route sert à se retrouver. Croisière de l'âme, devrait-on dire, balise de l'esprit, marqueur des élans, tant qu'il y a une croix en vue, nous sommes au pays des humains.

Sente, sentier ou bien méandre de rivière, route, chemin, portage ou col, sur la montagne et au bout de la plaine, la croix se trouve là qui est une remarque, une enseigne, une borne. C'est bel et bien la borne du bon Dieu, le titre foncier du paradis sur terre. La croix est agricole, symbole marquant d'une foi terrienne, la foi du charpentier qui construit sa maison, ses greniers et ses granges. La croix est une borne d'arpentage délimitant l'espace de la vallée des larmes.

Ce furent d'abord des arbres tutélaires. Les arbres se tiennent debout, ils s'élèvent dans l'air. Pour peu qu'ils se démarquent dans la forêt, le long de mon passage, pour peu qu'ils aient l'air remarquables, avec des bras pointés dans toutes les directions, une futaie haute et céleste, un tronc unique, très lisse ou très noueux, êtres durs qui suggèrent l'esprit de sacrifice ainsi que la résilience dans le temps, voilà qu'ils deviennent éligibles au jeu de la reconnaissance.

Ici, mon âme fera une pause, elle fera un arrêt pour se recueillir, autrement dit pour se reprendre, se réparer. Depuis l'aube des temps païens, l'humain soigne son esprit nomade, il se recueille pour ne pas se perdre. Une âme sans repère est une âme en péril. Condamné au voyage, parce que tenu au passage, l'humain doit s'accrocher à quelque balise. La première croix de chemin fut quelque part un arbre, la première chapelle, le premier autel, la première prière.

Vertical enraciné, l'arbre est la silhouette de la vie, une forme dans le vide, le pas entre l'inhumain et le surhumain. Le bois est vivant, les arbres parlent, les arbres savent, ils font la guerre, ils font la paix. Au degré zéro de l'ancien monde, ils font le pas de la magie qui est simplement la loge du sacré. Or, dans un univers où les arbres saignent comme ils soignent, toutes les paroles sont poétiques et puissantes. L'arbre s'adresse à la vallée qu'il surplombe, il s'adresse au passant qui s'approche.

L'arbre tutélaire sera un palais de justice : c'est sous un chêne légendaire que s'adossait saint Louis pour entendre les causes et doléances de ses sujets, à l'abri des huissiers. L'arbre sera un symbole de paix : les Iroquoiens déracinèrent un grand pin blanc et jetèrent dans le trou béant toutes leurs armes de guerre. C'était en 1701, la Grande Paix. L'arbre de la connaissance sera la première école. Et l'arbre de la vie, le premier livre. Tout cela parce que l'arbre était un théâtre, là où se jouaient toutes les représentations. Le premier acte fut un acte de foi.

Tantôt, l'arbre sera de pierre. Encore une fois, debout, remarquable, isolée, sacrée, la roche se distingue. Devant elle, l'humain aura des visions. Menhir, dolmen, inukshuk, il y a des voies dans l'infini et ces voies seront signifiées. Non, la famille ne voyagera pas dans le vide, la caravane n'ira pas à l'aveugle. Il nous faut à tout prix éviter la cécité de l'âme. Là où la nature n'a pas prévu le spectacle de la roche isolée, il faudra ériger un monument. On empilera des pierres, on alignera, on élèvera. Nous avons toujours raffiné la mise en scène : équarrir, polir, choisir le lieu ou la croisée.

L'arbre est comme une pierre qui est une croix monumentale : autour de sa tête tourne le ciel de la nuit ; sous la voûte étoilée, un policier silencieux qui voit à la circulation des âmes. Le recueillement devant une croix représente l'histoire entière du monde, en vérité. Nous sommes de passage, le voyage nous effraie et il nous décourage. Alors, devant la croix, le voyageur fait une halte pour se saluer lui-même. Il reconnaît sa position sur la carte. La croix est une station-service pour les âmes en panne, le premier système d'arrêt-stop au temps où les curés faisaient la loi. Dieu est partout, il fallait bien qu'il soit aussi dans le champ.

« Que le Manitou soit avec moi » et « Que Dieu me protège » sont deux expressions qui reviennent au même. Il était inutile d'évangéliser les Sauvages, car, ainsi que le disait un prophète Déné, ils étaient trop spirituels pour être simplement religieux. Ils en avaient des repères sacrés, les Sauvages, assez pour peupler les grands bois de millions de repères tous aussi sacrés les uns que les autres. Prière, ô prière, qui ne commence pas avec Dieu et qui ne finit pas avec Dieu.

Sacrer comme un charretier est une belle expression. Car le charretier qui sacre est un routier qui chemine dans le sacré. Le chemin de la vie est en effet un long calvaire. Aucune technologie, aucune facilité, rien n'enlèvera l'angoisse fondamentale. Il faut faire de la route pour le savoir. Jurer sera toujours une forme de prière, et le blasphème est une offrande faite à l'envers. Croix de peine, croix de misère, prions Sainte Marie du Tournage en Rond, Saint Joseph du Vent dans la Face, Saint Christophe des Pneus Fesse…

Les croix de chemin ont de l'avenir, elles sont d'ailleurs partout autour de nous. En 1998, à North Sydney en Nouvelle-Écosse, Jésus est apparu pendant quelques jours sur le mur intérieur d'un restaurant *Tim Hortons*. Jésus-Christ sait des choses que nous ne savons plus. Les repères sacrés d'aujourd'hui, les parvis de la communauté, les croix de chemin des temps modernes sont ces chaînes commerciales qui disséminent le long des routes de petites chapelles où l'on sert à manger et à boire, en plus de la chaleur de nos derniers restants d'humanité. Prochaine halte, 20 km. Courage. Nous avons l'espérance des beignes, la foi du hamburger, le chant du poulet frit, la joie du café frais.

+ + +

Mont Royal, Montréal

La CROIX DU MONT ROYAL

En 1642, il pleut énormément à Ville-Marie et la crue des eaux menace d'inonder le fortin. Paul Chomedey, sieur de Maisonneuve promet de planter une croix sur le mont Royal s'il plaît à Dieu d'arrêter la pluie. Le danger d'inondation étant repoussé, il remplit sa promesse le 6 janvier 1643. On dit que Maisonneuve aurait porté lui-même cette lourde croix jusqu'au sommet du mont Royal, une marche de plus de trois milles. L'accompagnaient, lors de cette fameuse ascension, Jeanne Mance, fondatrice de l'Hôtel-Dieu de Montréal et Marie-Madeleine de la Peltrie, fondatrice de l'Ordre des Ursulines.

Il semblerait pourtant que le monument ait été détruit à peine dix ans plus tard. On reconstruisit alors la croix en y ajoutant cette fois une palissade de pieux. La croix devait cependant disparaître encore une fois. C'était à l'époque de la Conquête par les troupes anglaises. Ce n'est qu'en 1924 qu'elle fut reconstruite par la Société Saint-Jean-Baptiste grâce au concours de 85 000 écoliers qui, pour financer l'opération, vendirent des timbres commémoratifs. En juin 2004, la croix est cédée à la Ville de Montréal par donation. Ce magistral monument de fer illumine le faîte du mont Royal. Fait cocasse, durant la Seconde Guerre mondiale, on illumina la croix d'un seul côté afin d'économiser l'électricité.

The Mount Royal Cross when completed

La Croix du Mont-Royal lorsq'elle sera terminée.

Mont Royal, Montréal

Route 368, Sainte-Pétronille

À partir d'en haut : 1. Weedon, 2. Saint-Nicolas, 3. Saints-Anges, 4. Saint-Antoine-sur-Richelieu

AU LAC SAINT-JEAN.—GROUPE D'INDIENS MONTAGNAIS (A LA POINTE BLEUE)

Photo. Livernois.—Photo-gravure Armstrong

À droite : route 132, Saint-Antoine-de-Tilly

Des JÉSUITES À TADOUSSAC

Les Jésuites sont parmi les premiers missionnaires à s'installer au Canada. Ils parcourent le territoire et ouvrent des missions afin d'évangéliser les *Sauvages*. Au rythme des conversions, certains peuples amérindiens, ici et là, prennent part aux rites chrétiens.

« Après que le chef Montagnais eut fait un grand discours en faveur de la prière, il chargea cette grande croix sur ses épaules : la procession commence ; ils marchent tous deux à deux avec une modestie vraiment chrétienne. Arrivés au lieu où cet Arbre qui a porté le fruit de vie devait être placé, ils l'élèvent et le placent au bruit des arquebusades, qu'ils font retentir avec une grande allégresse. La croix étant plantée, ils se jettent à genoux et adorent le Crucifié en son image. »

Les Relations des Jésuites, 1646 [3]

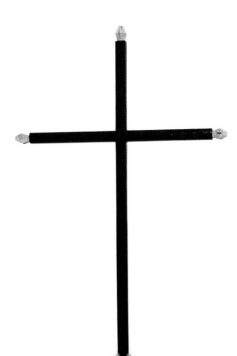

Sainte-Félicité

Warwick

Une croix asymétrique sur le chemin de Warwick

Claude Gagnon

À Émile Vincent †, historien de Sainte-Séraphine d'Arthabaska

Les Bois-Francs désignent une région méconnue du Québec, trop souvent amalgamée à la Mauricie ; celle-ci est située de l'autre côté du fleuve et offre un climat sensiblement plus rigoureux. La colonisation des Bois-Francs a son histoire religieuse propre : cette histoire est imprégnée d'un piétisme catholique authentique qui s'est manifesté par un foisonnement de croix, de calvaires et de niches sur tout le territoire. Uniquement dans le canton de Warwick, situé au pied des Appalaches, il y a dix croix de chemin répertoriées et encore bien entretenues. Certaines d'entre elles revivent aujourd'hui des rassemblements au mois de mai[1].

Ces dix croix apparurent majoritairement dans les années trente du siècle dernier, soit pendant la grande crise économique qui augmenta dramatiquement l'appauvrissement des agriculteurs. L'historien local de Warwick, Rolland Chabot, s'est penché sur ces croix et sur les intentions qui y étaient rattachées. Certes, les motifs évoqués par les habitants du canton ressemblent à ceux déjà regroupés dans les recherches de Jean Simard, mais ils ont néanmoins une configuration propre qui vaut la peine d'être précisée : « La grande raison de ces croix de chemins était pour demander la protection du Très-Haut, remercier le Seigneur pour les faveurs obtenues et souvent aussi pour remémorer un événement heureux ou malheureux. C'était aussi pour se rassembler afin de prier… »[2]

LES DEUX AXES Comme les centres de pèlerinages, les croix de chemin servent à invoquer la divinité ou les saints. On appelle « théurgie » les différents gestes techniques et rituels de communication adressés aux puissances spirituelles ou célestes. Dans l'énumération de l'historien Chabot, ce rôle théurgique de la croix de chemin est nommé en premier (demander la protection du Très-Haut). Sans oublier l'importance de la quatrième fonction qui est d'alimenter la vie communautaire par le rassemblement quotidien ou presque des familles d'un même rang.

---

1. Plusieurs rituels religieux ancestraux sont vivaces dans cette région ; par exemple, certaines églises font encore une crèche vivante pendant la messe de minuit, les funérailles des Chevaliers de Colomb haut gradés sont flamboyantes, etc.

2. CHABOT, R., *La petite histoire rurale de Warwick,* Arthabaska, 1992, p. 283.

Ces deux motifs fondent les deux axes géométriques de la croix. Nous retrouvons la Verticalité présente dans tous les rituels théurgiques ; les archéologues voient déjà l'expression claire de cette Verticalité fondatrice d'Espérance dans les monolithes de Carnac en Bretagne. Dans cette perspective, la croix est comme un monolithe ; elle indique le Haut, c'est-à-dire le ciel, et elle se dresse aussi pour suggérer à l'homme d'en faire autant dans son labeur et par son espoir. Par ailleurs, elle suscite et encourage le rassemblement de la communauté humaine d'un même fronteau de défrichement ; c'est l'axe horizontal de la solidarité.

L'implantation de croix de chemin n'est pas une coutume appartenant exclusivement au passé. En 1983, pour souligner l'année sainte de la Rédemption, les neuf paroisses de la zone pastorale de Warwick érigèrent une croix à l'intersection de la route 116 et de celle qui mène au village de Saint-Albert. Or, cette croix de chemin a une forme bien à elle : elle est asymétrique. Les deux bras de la croix sont « placés à deux hauteurs inégales »[3].

L'ASYMÉTRIE Cette asymétrie ne serait pas du tout accidentelle si on en croit un document fourni par l'abbé Rock Dion et publié dans l'ouvrage de Chabot[4]. Le constructeur de cette croix est André Poudrier[5]. Il est difficile de savoir cependant si c'est lui qui a mis en rapport la commande de la croix et les textes saints qui supportent et justifient sa forme hétérodoxe. On y lit que « le concepteur de cette croix s'est inspiré de la parole de Dieu… Le tronc de chêne tout droit pointé vers le ciel, mais aussi bien ancré dans le sol des hommes… »[6] Nous ne pouvons que constater ici une référence explicite à l'antique Verticalité évoquée ci-dessus. Mais rien n'est moins certain que le constructeur soit celui que l'on nomme ici le concepteur.

---

3. DION, Rock, « La petite histoire d'une croix de chemin », s.l., s.d. (probablement *L'Union de Victoriaville* après recherches faites par la Société historique de Warwick). Je remercie les membres de cette société pour leur accueil chaleureux et plus particulièrement messieurs Kerouac et Lebel, de même que Marcel et Thérèse Lampron de Sainte-Séraphine.

4. CHABOT, R., *op. cit.*, p. 289.

5. LAUZIÈRE, P., et A. BONIN, *Les croix de chemin sur le territoire de la municipalité de Warwick*, septembre 2004, document produit par la Société historique de Warwick à la demande du comité culturel de la municipalité. La maquette de la croix asymétrique a été retrouvée et est actuellement conservée dans le local de la société historique.

6. Les archives de la Société historique de Warwick conservent le même texte provenant du presbytère de Saint-Rémi-de-Tingwick, non daté. Il s'agit d'une photocopie du document qui est probablement l'original de la glose.

Plus loin, le document justifie ainsi l'asymétrie des deux bras : « En effet, l'inégalité des bras nous rappelle le tiraillement entre la "chair et l'Esprit" dont parle saint Paul. À gauche, nous voyons le bras encore attaché à la terre et à nos désirs charnels ; et à droite, celui qui, à cause de Jésus-Christ, s'élance vers le ciel… »[7] Ainsi, l'asymétrie de cette croix représenterait le déséquilibre intérieur humain rendant impossible son envolée dans l'axe vertical : un crucifié mal aligné, pour ne pas dire tordu !

Cette croix asymétrique, de construction récente, sur le chemin de Warwick, montre qu'une piété bien vivante s'exprime encore dans cette région en s'articulant notamment sur le réseau traditionnel des croix de chemin. Mais les nouvelles croix n'expriment plus la désolation d'une région autrefois très pauvre ni la nécessité de rassemblement avec les proches voisins du même fronteau. Les quelque trois mille cinq cents croix entretenues du Québec témoignent d'une spiritualité toujours vive et organisée. Les auteurs de la croix asymétrique de Warwick ont voulu souligner pour leur part que la Verticalité est encore la dimension à atteindre pour l'homme. Ce dernier n'est plus affamé, mais il demeure déséquilibré par son attraction charnelle vers le sol.

LE RÉSEAU La croix de chemin pointe en direction du ciel ; c'est l'expression et l'annonce de la Verticalité. On peut dès lors imaginer le territoire géographique comme un plan cartésien composé des chemins de rang formant l'axe horizontal. À cet axe seraient superposées les multiples croix symbolisant l'axe vertical de l'effort d'une colonisation qui n'aurait jamais pu se faire sans une spiritualité extrême pouvant lutter contre les plus grandes misères.

Les milliers de croix de nos chemins sont les stigmates de notre colonisation héroïque et missionnaire. Tels les monolithes de la Bretagne primitive, ces croix dressées sont les signes indéniables d'un authentique rituel théurgique pratiqué à grande échelle par les colons catholiques de la Nouvelle-France.

+ + +

---

7. CHABOT, R., *op. cit.*, p. 289.

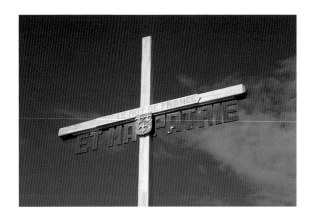

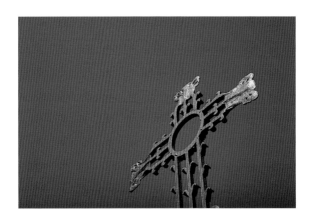

À partir d'en haut : 1. Matane, 2. Île d'Orléans, 3. Laval, 4. Papineauville

CHEMIN FAISANT

Une fois les terres découvertes, les colons s'installent le long du fleuve Saint-Laurent. À mesure que s'ouvrent des chemins, apparaissent des croix. On en trouve une importante concentration sur le chemin du Roy, entre Montréal et Québec, qui fut complété en 1737 et devint le premier chemin carrossable du Canada, la plus longue route au nord du Rio Grande.

« Puis la race croît et se multiplie de façon merveilleuse ; le colon s'éloigne des bords aimés du Saint-Laurent. Il pénètre dans les forêts pour se tailler un domaine dont il sera roi. Mais à ce courageux pionnier, il faut quelque chose qui rappelle la paroisse natale ; il va donc arborer la croix le long des routes à peine tracées, près de son humble cabane de bois rond. Loin du clocher, privé des belles cérémonies de sa vieille église, le colon s'agenouille au pied de la croix ; l'adieu a brisé son cœur, le travail l'accable, la misère le guette peut-être, ses enfants n'ont pas d'écoles ; la croix du chemin sera et l'église et l'école. »

Joseph-H. Courteau, 1916 [4]

Horatio Walker, *De Profundis*

Bien loin le temps...

Léandre Bergeron

Le clocher de mon village qui a depuis longtemps perdu sa cloche pour appeler les fidèles à l'office divin et sonner l'angélus matin, midi et soir se refait un sens, se retrouve une légitimité, se reblasonne le prestige en prêtant sa hauteur à la nouvelle religion de l'information haute vitesse, l'émetteur wi-fi.

Mais la plus modeste, paysanne croix du chemin de Bellecombe, à ras de sol, que toutes les voitures ignorent, se gratte la peinture blanche grisaillante qui s'écaille au soleil de mai.

Bien loin le temps où, passant devant la croix des chemins de Notre-Dame-de-Lourdes en boghei pour nous rendre au caté-chisme en préparation à ma première communion, ma mère faisait un grand signe de croix et m'enjoignait de faire pareil.

+ + +

138 OUEST
Rue Sherbrooke

Pont Le Gardeur, Repentigny

À CHACUN SON CALVAIRE, À CHACUN SA CROIX

Les écrits sur les croix et les calvaires commencent à se faire plus nombreux vers le milieu du XVIIIe siècle. Certains documents — lettres, journaux de voyageurs, livres — mettent en lumière les pratiques entourant leur érection. Toutes les raisons sont bonnes pour planter une croix. La plupart du temps, c'est l'initiative de cultivateurs, de villageois, une émanation spontanée de la foi populaire, parfois un geste collectif initié par le clergé. On plante une croix quand on bâtit maison. On plante une croix pour remercier le ciel d'un souhait exaucé, commémorer un événement marquant pour la communauté, conjurer un mauvais sort, signifier l'emplacement d'une future église, ou encore pour servir de lieu de piété lorsqu'on est éloigné du temple paroissial. Souvent, des plaques commémoratives au pied de la croix nous permettent de connaître les motifs et la date approximative de son érection.

INRI

Varennes

FAMILLE
EDOUARD
LAVOIE

Boulevard Lévesque, Laval

Un GESTE D'INFINI

« Je les ai vues, les blanches croix lumineuses, disséminées partout le long de nos routes, comme une floraison de l'âme canadienne, comme l'esprit du sol remué par les ancêtres ; j'ai vu leur rayonnement splendide d'idéal dans les *habitants* prosternés à leur pied, j'y ai trouvé la source des énergies profondes et sources de notre race, le principe latent de notre survivance héroïque, le sens glorieux de notre histoire. En elles gisent un gage de moralité, un lieu puissant et mystique, une influence assainissante. Elles donnent aux paysages une physionomie, une signification morale, les illuminent, les spiritualisent et les agrandissent dans un geste d'infini, elles sont révélatrices de l'âme canadienne. »

Léo-Paul Desrosiers, 1916 [5]

Un CHRIST SUR MESURE

La famille Naud de Deschambault a conservé une trace de la commande passée par Alexandre Naud, un cultivateur qui, en 1841, confie à Léandre Parent, sculpteur, la confection du Christ qui ornera un calvaire sur sa terre.

« Je m'oblige de faire un Christ sans croix (Calvaire) de la hauteur de celui de St. Augustin, forme ordinaire, peint en couleur naturelle, le tout en bons matériaux, pour Mr Alexandre Naud de la paroisse de Deschambault, Cultivateur, pour le prix et la somme de vingt livres courant payable à la Ste Anne prochaine – le dit Calvaire sera livré vers le quinze Juin prochain à Québec, au dit A. Naud qui s'oblige par le présent de le venir chercher et de le faire poser à ses frais et dépens. Mr. Parent s'oblige de faire la boëte pour mettre le dit Christ, de le finir dedans et de mettre la visse du milieu à ses frais : le dit Calvaire sera reçu par l'Evêque. »

sa

A   +   *Naud*

Léandre Parent

Témoin C. Léon Marcotte, Québec, 4 mars 1841 [6]

Calvaire de la famille Naud, Deschambault

Jusqu'à l'extrême de l'amour

Jacques Gauthier

Avant que la croix ne devienne un chemin

sur les routes mystiques du Québec

tant de vertiges et de silences

que le Passeur a épousés

sur le lit de la croix

arbre de la lente sève végétale

lieu des chutes et des montées

bois vert formé pour son corps

la plus belle parole d'amour jamais dite

Ces humbles croix de chemin le rappellent

« par ses blessures nous sommes guéris »

terre eau feu air sont rassemblés

en ce buisson qui éclaire et s'embrase

« qui regarde vers lui resplendira »

l'immobilité de l'Innocent abaisse les collines

c'est la croix maintenant qui le porte

Au corps à corps avec la mort

devant les calvaires de nos villages

nous sommes parfois loin de son visage

avec notre soif notre sang notre souffle

enfants prodigues et bons larrons

qu'il pardonne à chaque respiration arrachée au néant

« aujourd'hui tu seras avec moi dans le Paradis »

Au point d'appui des stations

la rencontre fulgurante

de la chair et du bois

de la mère et du fils

du lait et de la pierre

du glaive et de l'âme

l'ultime enfantement

Jusqu'à la fin

le don le vide de son sang

la souffrance étant finie

mais son désir d'aimer infini

reste le coup de lance au côté

révélant le secret de son cœur

dire tout l'amour qu'il nous portait

plus que le montre le fer de la douleur

ouvrir les Écritures et notre cœur

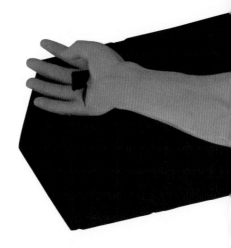

Rang Saint-Eustache, Lotbinière

La vie est déposée au tombeau

la pierre n'a pas emprisonné l'espérance

elle bascule dans la joie ascensionnelle

la victoire jaillit des ruines

la lumière traverse le suaire

le soleil irradie dans notre nuit

La mort est morte au sépulcre

l'amour l'a tuée pour toujours

tout recommence et s'élève

au clair matin de la pierre tournée

nos yeux peuvent contempler une telle aube

qui se lève sur nos croix de chemin

il vit et cela suffit

alléluia

La CROIX VOTIVE

Lorsque le malheur s'est abattu et que l'on en sort indemne, on plante une croix en guise d'offrande à Dieu ; il s'agit d'apaiser la colère divine. On peut aussi planter une croix de manière préventive, pour s'assurer la protection de Dieu et rester dans ses bonnes grâces.

« À Saint-Antoine de Tilly, un rescapé d'un naufrage aurait érigé un calvaire pour remercier le Seigneur de l'avoir sauvé : *Un samedi soir, le 8 août 1847, une chaloupe chargée de vingt-et-une personnes de Saint-Antoine de Tilly, revenant du marché de Québec, fut surprise par une tempête, un peu plus bas que l'église de Saint-Nicholas et chavira. Dans l'obscurité, dix-huit passagers presque tous des femmes se noyèrent.* »

Alphonse Leclaire, 1906 [7]

« En 1919, à Saint-Fabien, dans le comté de Rimouski, Louis Gagnon érigea une croix sur le terrain de son père, pour remercier la Providence d'avoir été exempté de la guerre en 1917. » [8]

Rue Montréal, Masson-Angers

À partir d'en haut : 1. Cap-Saint-Ignace, 2. Berthierville, 3. Berthier-sur-Mer

Calvaire Sauriol, chemin du Bord-de-l'Eau, Laval

Croix de chemin d'intérieur

Claire Varin

À mon père Roger Varin, envolé en 2007

« Au feu ! Les enfants ! Sortez ! »

Notre père couche-tard lança son cri d'alarme dans la nuit. Il venait de découvrir la source de l'odeur de caoutchouc brûlé. Arrachée au sommeil, je m'étais hâtée vers les marches menant au rez-de-chaussée. La fumée qui grimpait dans l'escalier me sauta au visage et stoppa ma descente. Engourdie par le manque d'oxygène, je perdis très vite connaissance sur le second palier. Petite Marie-Madeleine aux pieds du Crucifié, j'étais tombée juste au-dessous d'un christ en bois, accroché dans la cage d'escalier. Un calvaire d'intérieur…

Je me plais aujourd'hui à imaginer que, peut-être à mon insu, j'avais imité le célèbre Homme souffrant, avec mes bras étendus en croix. En réalité, j'avais dû porter d'instinct mes mains à mon ventre. Évanouie dans une maison au sous-sol en flammes, j'étais seule mais toute rassemblée sous moi, avec mes désirs, mes peurs et mes pleurs accumulés de fillette de onze ans. Un calvaire est un point de rassemblement… Aveuglée par la fumée mais déterminée, ma sœur m'avait cherchée à tâtons après s'être assurée que notre cadette et notre mère se furent échappées par la fenêtre des chambres du premier étage, qui donnaient sur l'avant-toit. Quand elle finit par toucher ma chevelure, elle l'agrippa aussitôt et me traîna vers l'extérieur.

Depuis toutes ces années, ma croix protectrice n'a pas quitté sa cage d'escalier. Elle avait été sculptée par Edmundo Chiodini, le créateur des télégéniques marionnettes Pépino et Capucine. L'abdomen christique inorthodoxe – en forme de fer à cheval creusé – avait déplu au client ecclésiastique. Mon père l'avait ensuite acquise de son ami Edmundo.

Notre logis accordait refuge aux crucifiés trop originaux rejetés par les curés. De la sorte avions-nous aussi récupéré un Jésus exempté de sa croix. L'un des sculpteurs renommés de la famille Bourgault de Saint-Jean-Port-Joli avait jugé vain de le charger de branches croisées, vu son rejet par un acheteur mécontent d'une Sainte Face aux traits trop accentués. Avec son pagne pareil à un caleçon de bain, ce christ semblait prêt à plonger dans l'air.

Les « calvaires miniatures » qui coiffaient plusieurs portes intérieures du domicile familial, constituèrent mes premières croix de chemin, *intra muros*, compagnes négligées ; à mes yeux d'enfant, cette manifestation d'une Présence ne signifiait pas grand'chose.

Mais les crucifix s'insinuaient en douce dans mon esprit. Sur les routes du monde où mon cœur me portait, du Brésil à la France, je croisai sûrement d'innombrables signes cruciformes, mais ils n'ébranlaient pas mon indifférence à leur égard. Pourtant je savais contempler le mystère de la mort, cette magie à sens unique qui escamotait les personnes comme des cartes à jouer sans consentir à leur réapparition sauf en songe ou sous des regards extrasensoriels… Je me rendis même au Mexique pour assister à la traditionnelle fête des Morts ; dans les cimetières, endroit de prédilection des festivités, j'ignorais les calvaires et immortalisais les anges sur pellicule.

Trente-trois ans après ma Station enfumée sous un crucifié… les croix de chemin, les orthodoxes, les hors-les-murs, commencèrent à m'assiéger. Je venais d'emménager à Laval dans un ex-salon funéraire. Tout près, au bord de la rivière des Prairies, s'élevait une croix de chemin. Malgré son authenticité, je la considérais avec un intérêt mitigé. Elle appartenait à la tribu des vingt-huit croix et calvaires fichés en sol lavallois, qui rappelaient aux chrétiens que par Son sacrifice, Il les avait sauvés.

Toutefois, ce sont les « croix d'intérieur » qui prirent davantage de place dans mon univers. Dans la chaufferie de ma demeure, pendait un crucifix en cuivre, unique objet abandonné sur les lieux par les précédents propriétaires. Le symbole religieux me poursuivait. Peu après, je reçus en cadeau une œuvre d'art au thème plutôt rébarbatif : la déposition de Croix. C'était une roche en forme de pierre tombale. Sur une face, un moulage peint en gris et qui simulait la pierre, reproduisait la scène fameuse où, sous le regard d'angelots, les bras de Marie accueillaient le corps de son Fils avant sa mise au tombeau. La pièce fut installée dans un coin discret du salon. J'essayais de l'oublier afin d'éviter que son symbolisme ne déteigne sur ma nouvelle vie dans l'île Jésus. Je ruminais les paroles d'un ami adepte d'une philosophie hindoue : les scènes représentées par les œuvres figuratives se matérialisaient, prétendait-il, dans l'existence de leur possesseur. Les objets d'art agissaient comme des miroirs d'événements futurs ou passés. Le tableau ou la sculpture exposés chez soi, d'une façon ou d'une autre, avaient tout à voir avec soi. Une descente de Croix… Je ne souhaitais ni me faire clouer sur un gibet ni en descendre… Mais, à bien y penser, je m'étais naguère planté dans le pied le clou rouillé qui dépassait d'une planche de bois sur laquelle il resta fixé. Fantasmer sur les prémices d'une crucifixion… hum, inutile de nier la portée en moi des croix de mon enfance…

Le feng shui, alors à la mode au Québec, me confortait dans ma méfiance envers les crucifix. D'après cette conception orientale de l'aménagement, les poteaux téléphoniques, clochers d'église, gratte-ciel et croix, surchargés de *yang,* nuisaient à une bonne circulation du *chi,* l'énergie vitale… J'en étais là quand, pour réaliser une série de cartes postales d'attraits culturels de Laval, il me fallut obtenir une photo de l'une des incontournables croix de dévotion sur le territoire. La Société d'histoire et de généalogie de l'île Jésus proposa de me prêter un ouvrage rare sur le sujet, *La Croix du chemin*, éditée en 1916 par la Société Saint-Jean-Baptiste de Montréal. Si je déclinai d'abord l'offre, c'était avant la demande fortuite d'une attrayante maison d'édition pour que j'écrive un papier sur les croix de chemin, ce que j'acceptai avec un enthousiasme qui m'étonne encore. J'empruntai finalement le livre ancien conservé dans les archives de l'organisme responsable de la restauration des croix monumentales lavalloises.

L'ouvrage comportait de courts récits soumis au premier concours littéraire de la Société Saint-Jean-Baptiste. Le deuxième prix avait été remporté par nul autre que le frère Marie-Victorin. Dans son texte, le botaniste en devenir racontait que, pour calmer ses chagrins d'enfant, sa mère l'exhortait avec ces mots : « Mets cela au pied de la Croix ! » Cette anecdote me nourrit suffisamment et je refermai le livre. Puis je consultai un spécialiste des croix de chemin de Laval, à qui je tentai de soutirer, à propos de mon thème de l'heure, ces détails précieux, pain quotidien de l'écrivain. Au sujet de la croix Paquette, la plus âgée de l'île Jésus, datant de 1851, les avis divergeaient. Si une vieille dame l'entretenait comme la prunelle de ses yeux, l'un de ses voisins la conspuait : « Ta croix, elle me porte malheur ! » Quant au calvaire Sauriol de Sainte-Dorothée, unique en son genre au Québec avec ses murs en pierre des champs et son sol bétonné, une chose était sûre : l'Esprit l'emportait haut la main sur les affaires matérielles. En effet, érigé par un tailleur de pierre pour une grâce obtenue, il s'avérerait plus tard indélogeable, forçant le promoteur d'un ensemble résidentiel à une cohabitation avec ce calvaire abrité… Sur le chemin du Bord-de-l'Eau, j'ai repéré récemment le monument : il prie toujours pour nous, même si nous n'y déposons plus nos prières.

C'est ainsi que, peu à peu, j'ai cessé de craindre les croix mises sur ma route et que mon père, bon vivant bien qu'amateur de croix, a cessé pour toujours, un vingt-trois avril, de porter la sienne.

+ + +

Calvaire Sauriol, chemin du Bord-de-l'Eau, Laval

Route 132, Saint-Germain-de-Kamouraska

La CROIX-TALISMAN

On va à la croix pour dialoguer avec Dieu ; l'objet de culte permet de circonscrire l'endroit où la conversation, la prière a lieu. Mais, parfois, les croyants relèguent le rapport à Dieu au second plan, et l'on attribue à la croix en elle-même le pouvoir de protéger. La croix n'est plus un instrument, mais un agent. On peut alors planter des croix pour les mêmes raisons que l'on asperge d'eau bénite les fenêtres pendant un orage ou comme on boit l'eau de Pâques pour enrayer toute maladie.

« On dit que la croix du mont Orignal, à Saint-Léon-de-Standon, qu'elle a été plantée là parce que les gens avaient peur que la montagne se fâche. » [9]

« À Saint-Magloire de Bellechasse, une croix fut élevée en 1887, sur un pic appelé *Bonnet* pour demander à Dieu de préserver de la gelée les récoltes de sarrasin. » [10]

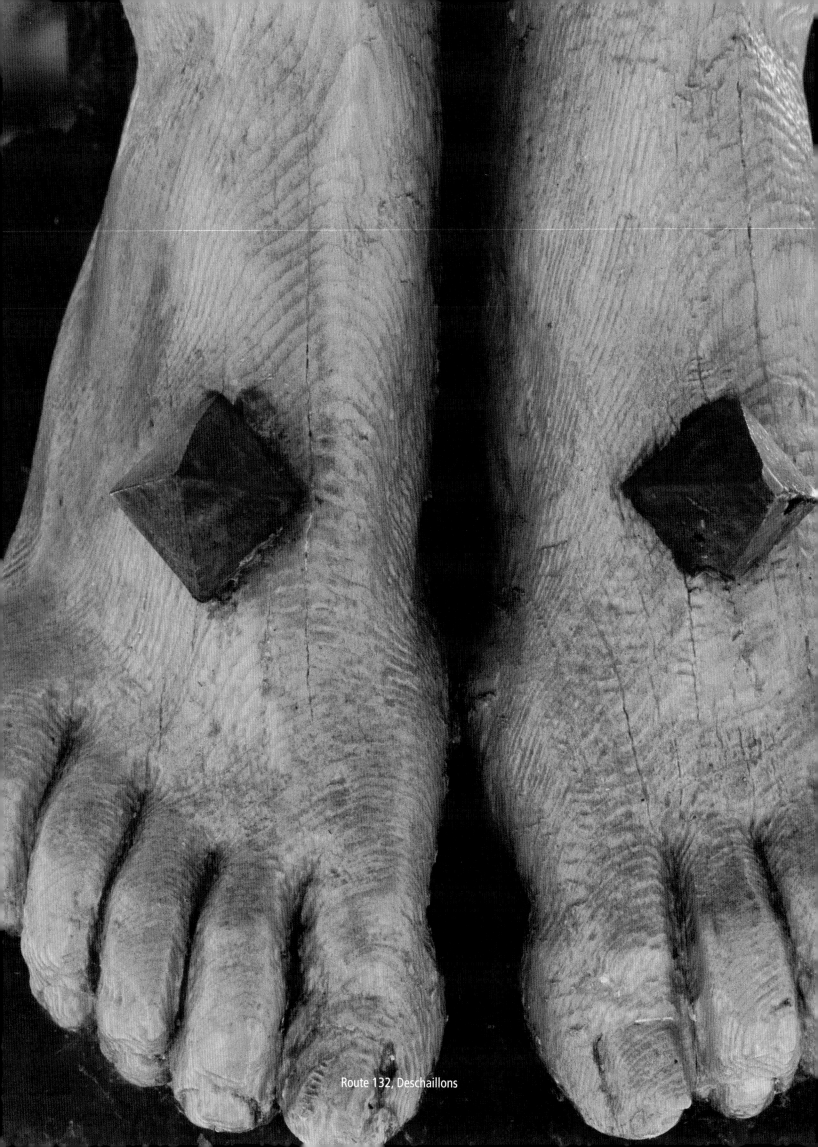

Route 132, Deschaillons

La CROIX COMMÉMORATIVE

Les croix, tels des monuments, sont parfois érigées pour souligner des faits ou célébrer la mémoire d'hommes exceptionnels. On retrouve plusieurs croix, par exemple, construites dans l'intention de rappeler le passage de Jacques Cartier dans tel lieu du Québec. Les histoires les plus touchantes, cependant, sont souvent liées à ces vieilles croix érigées en souvenir d'événements locaux, ayant touché un petit groupe de villageois.

En 1839, près de l'île Razade-d'en-Haut (vis-à-vis Trois-Pistoles), des gens partis sur la glace auraient été sauvés miraculeusement, grâce aux citoyens et au curé qui, de la berge, priaient. En 1840, on a érigé une croix de bois pour commémorer cet événement tragique. En 1931, on fit une souscription pour remplacer la croix de bois par une en pierre. Une plaque de bronze porte l'inscription suivante :

« Nos pères, partis à la dérive sur les glaces en chassant le loup-marin, atterrirent providentiellement sur cette île, le 25ième jour de décembre 1839. Hommages de leurs descendants. » [11]

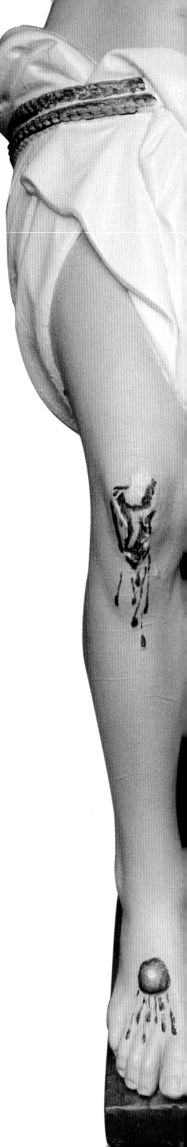

Le SACRIFICE DE JULES GAGNÉ

« Parmi les belles monographies paroissiales dues à la plume de prêtres érudits, il en est une qui n'a pas manqué de m'intéresser fortement. C'est celle dont l'auteur est M. le curé Joseph-D. Michaud de Val-Brillant. Et c'est en feuilletant cet ouvrage si bien documenté que j'y ai trouvé l'historique de la croix qui se dresse au sommet du cap du mont St-Louis. "Il y avait autrefois une croix en bois érigée en 1877 et qu'une bourrasque violente vint un jour terrasser. Il fallait voir les nombreuses meurtrissures que cette croix portait sur tout son corps et jusqu'aux dernières extrémités de ses larges bras, étendus depuis plus de quarante ans, au-dessus de ce village, en signe de protection ! Que de noms de jeunes, aujourd'hui vieillards ou de disparus depuis longtemps on pouvait y lire ! Que de symboles s'incrustaient dans son bois vermoulu ! Combien de monogrammes accolés l'un à l'autre y racontaient l'éternelle histoire du cœur humain et des amours qui ne doivent pas mourir ! C'est sur ce mont qu'avaient lieu autrefois les grandes manifestations publiques. On y tirait les feux d'artifice et les salves de mousqueterie, à l'occasion de la visite de l'évêque, de la Fête-Dieu et de tous les principaux événements paroissiaux et, à la visite de l'évêque, lorsque le cortège épiscopal, précédé de la légendaire cavalerie, soulevait d'épais nuages de poussière sur les hauteurs de

la Rivière-Hâtée, le canon tonnait du haut du promontoire et ses échos puissants allaient dire aux paroisses avoisinantes l'allégresse des heureux Bicois." Mais ces manifestations prirent fin lorsqu'un jeune homme, Jules Gagné, y perdit la vie, en rechargeant le canon avant qu'il ne fût suffisamment refroidi. Bénite le 16 août 1925, une nouvelle croix de fer, ancrée dans le roc et dominant le village, commémore la première croix disparue. On peut y lire les inscriptions suivantes : (Sur la façade) À Jésus Rédempteur des Hommes. La paroisse Sainte-Cécile du Bic. 1925. (Sur le côté ouest) 29 août 1535, Jacques Cartier aborde au Bic et le nomme Havre-aux-Îlots-Saint-Jean. 22 mai 1603, Champlain vient reconnaître *Le Bic*. 6 mai 1675, Frontenac concède la seigneurie du Bic à C. Denis de Vitré. 18 février 1830, Mgr Panet, archevêque de Québec, érige la paroisse du Bic sous le titre de Sainte-Cécile. (Sur le côté sud) Ici, Jules Gagné perdit la vie, le 14 juin 1877. »

Léon Trépanier, 1954 [12]

Route 368, Sainte-Pétronille

CALVAIRE ÉRIGÉ PAR
MONSIEUR L.P. LACOURSIÈRE
ET BÉNI PAR
MGR F.X.CLOUTIER en 1905

Route 138, Batiscan

Saints-Anges

Saints-Anges

Claude Turmel

Sentinelle, ne tirez pas, c'est un oiseau qui vient de France ! Jusque vers 1920, la plupart de nos chansons populaires évoquaient la France. C'est du moins ce que me racontait ma tante Palmyre. Quand nos ancêtres exprimaient leurs émotions et leurs sentiments à l'occasion de réjouissances familiales, leur imaginaire fourmillait de souvenirs de la mère patrie. La coutume des croix de chemin en est une vivante expression. On n'avait pas oublié les croix et les calvaires qui jalonnaient les paysages de Normandie et de Bretagne. Sans compter ceux de Belgique et d'ailleurs.

Le passant pressé d'aujourd'hui peut se demander pourquoi une grande croix se dresse dans les lieux publics, fréquentés par le tout-venant ? Doit-on y lire un geste sacré perdu dans l'univers profane ? J'y vois l'expression d'une piété authentique portée par une foi profonde et partagée par la collectivité. La compassion aux souffrances de Jésus est le plus sûr chemin pour développer une spiritualité profonde. Elle inspire les dévouements et les solidarités. Se laisser toucher humainement par la mort du Christ développe l'amour de Dieu en nous et le désir d'y répondre en donnant notre vie en retour. Croix de chemin, croix de nos chemins, croix au cœur de notre vie.

Je garde un souvenir touchant d'une croix qu'un oncle menuisier a construite, dont le corpus avait été sculpté par Médard Bourgault, en Beauce, dans la paroisse des Saints-Anges, sur la route 112 à la croisée de la Grande-Ligne. Les coûts avaient été assumés par madame Bertha Pomerleau. J'ai compté quatre croix de chemin dans ce seul village. J'ai eu aussi le privilège, il y a déjà une vingtaine d'années, de bénir, à Sainte-Anne-de-la-Rochelle une croix érigée par mes amis monsieur et madame Robert Pager. Combien de Québécois et de Québécoises pourraient enrichir de leurs souvenirs ce beau patrimoine religieux.

+ + +

Le CALVAIRE DES LAFLAMME

« Réal Laflamme, agriculteur, possède encore aujourd'hui sur sa terre un calvaire construit en 1868. Lorsqu'il cédera sa terre à ses garçons, une clause sera inscrite dans l'acte notarié : celle de perpétuer l'entretien de la croix de chemin. Situés sur la terre voisine de celle de son père, Réal et sa famille héritent de ce calvaire lorsque Réal achète lui-même cette terre. Quand on lui demande pourquoi il n'a pas enlevé ce calvaire lorsqu'il a fait l'acquisition de cette terre, il sursaute : "Il n'a jamais été question d'enlever cette croix. Trop de souvenirs s'y rattachent. Lorsque nous étions jeunes, il s'organisait des chapelets durant tout le mois de mai et c'était l'occasion de se rencontrer." »

Isabelle Éthier, 2006 [13]

Calvaire des Laflamme, Sainte-Rosalie

Colonne de tempérance à Beauport

La CROIX DE TEMPÉRANCE

Certaines croix ont été érigées lors de campagnes de tempérance. Il s'agit d'un mouvement qui favorisait l'abstinence en matière d'alcool. Il était très répandu au XIXe siècle en Angleterre et aux États-Unis. L'on doit à Charles Chiniquy, alors curé de Beauport mais qui passera plus tard au protestantisme, la création de la première société de tempérance, l'Association catholique de Beauport. C'est lui qui popularisera la fameuse croix noire, sur laquelle on jurait d'être sobre et qu'on plaçait bien en vue dans la maison. Ce symbole est rapidement adopté et certains érigent aussi la croix noire au chemin. On retrouve beaucoup de ces croix à L'Isle-aux-Coudres, dans Charlevoix et dans le Bas-Saint-Laurent. À Saint-Germain-de-Kamouraska, on pouvait lire jusqu'à récemment l'inscription suivante sur le calvaire du lieu : *Érigé en 1850 à la demande du curé Quertier, apôtre de la tempérance par des citoyens émus de la mort d'un campagnard en boisson trouvé gelé à cet endroit.*

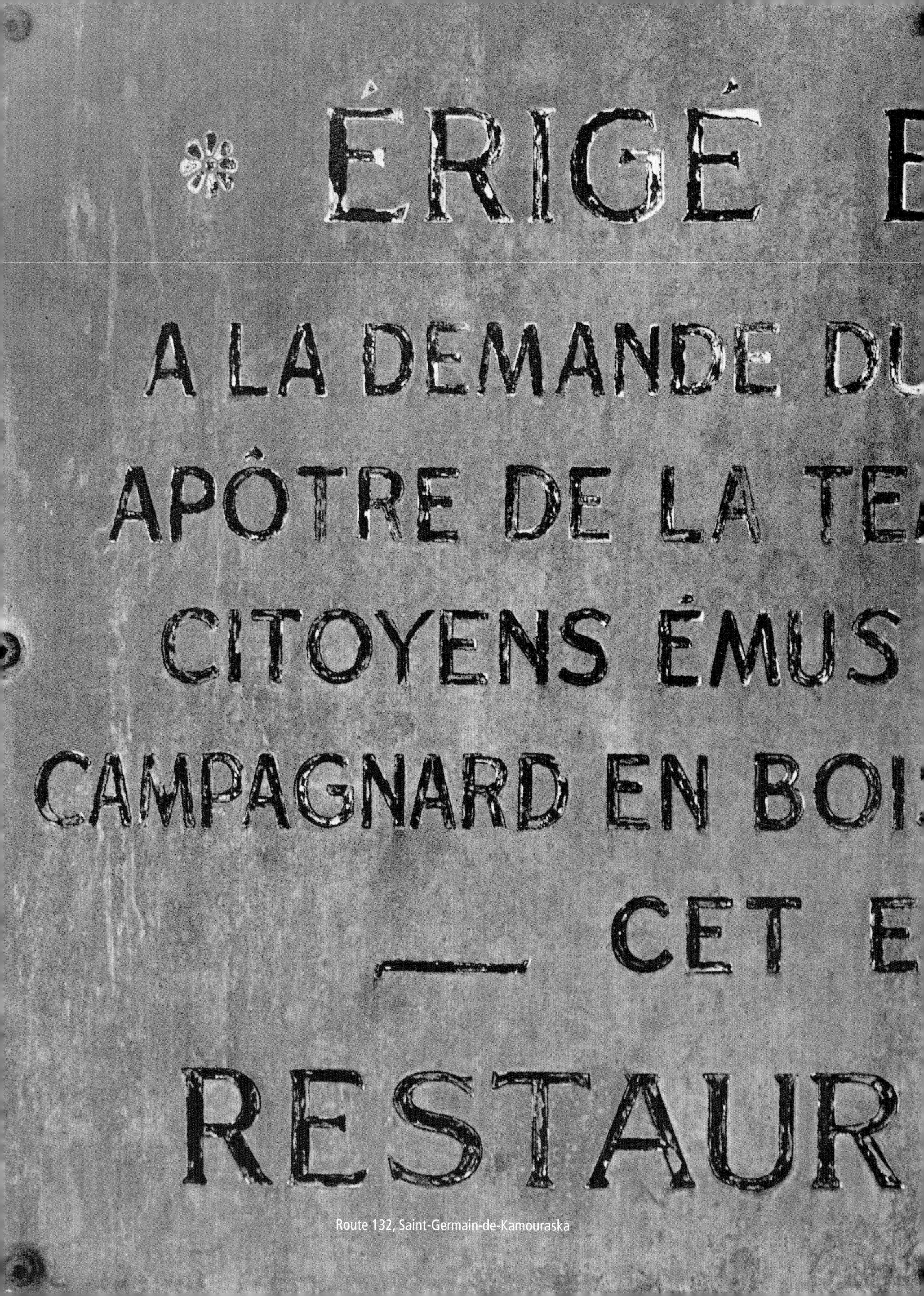

ÉRIGÉ E
A LA DEMANDE DU
APÔTRE DE LA TE
CITOYENS ÉMUS
CAMPAGNARD EN BOI
— CET E
RESTAUR

Route 132, Saint-Germain-de-Kamouraska

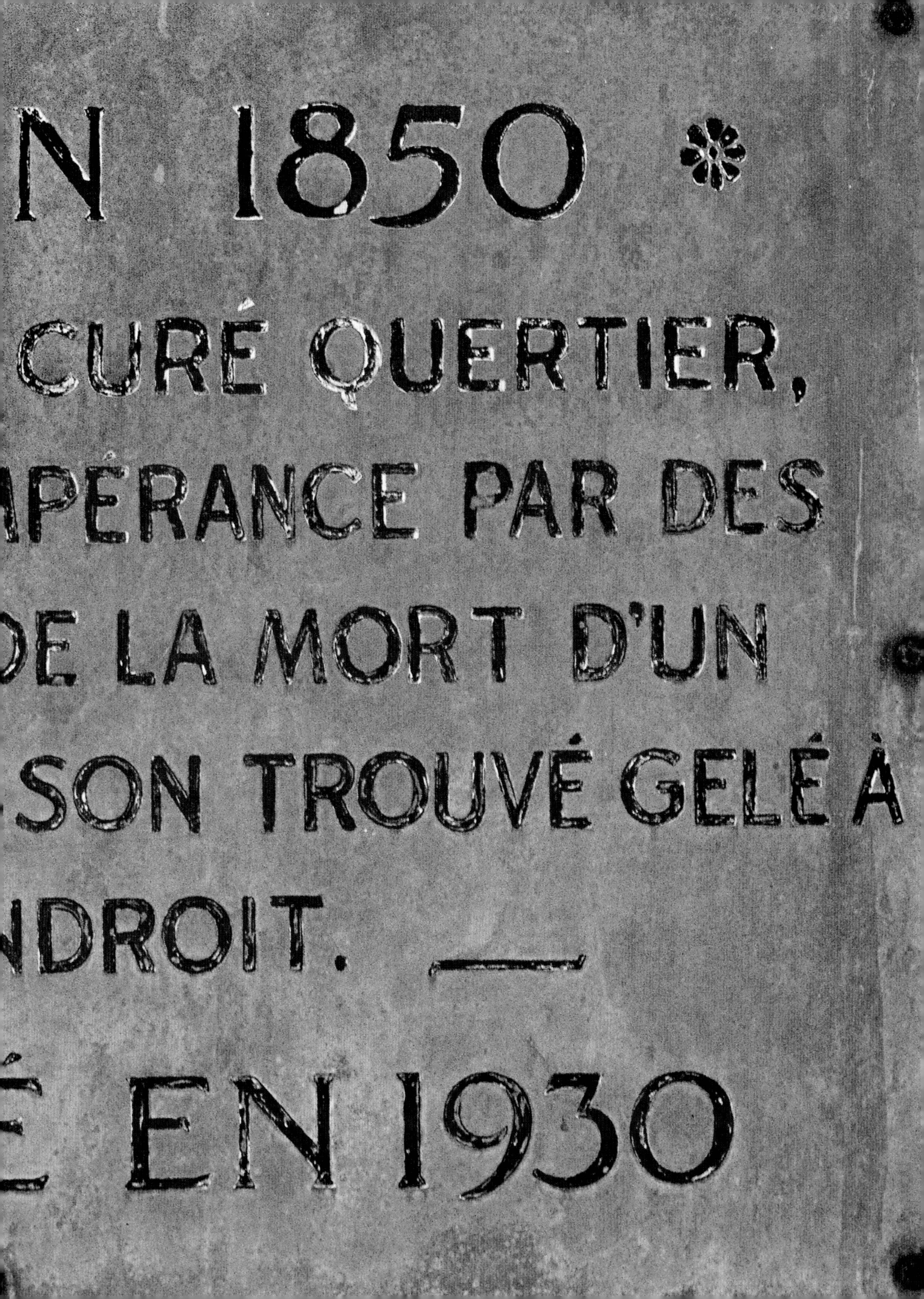

N 1850 *

CURÉ QUERTIER,

MPÉRANCE PAR DES

DE LA MORT D'UN

SON TROUVÉ GELÉ À

NDROIT. —

É EN 1930

Rang Double, Saint-Pamphile

La CROIX DES *PETITS CHINOIS*

« L'évêque Forbin-Janson, de Nancy, en France, aussi fondateur de la Sainte-Enfance pour encourager l'achat de petits Chinois, est venu un jour planter publiquement et solennellement au faîte de notre mont Saint-Hilaire une croix colossale et très impressionnante, ayant plus de cent pieds de hauteur, un jour d'automne, il y a plus de cent trente ans, c'est-à-dire précisément en octobre 1841. Il était annoncé assez ouvertement qu'une telle construction serait capable de résister à tous les assauts des hommes autant que de la température durant plus d'un siècle. Ce qui, en soi, était déjà suffisant pour rendre l'occasion fort attrayante. Malheureusement, l'emblème a succombé et fut détruit pendant une tempête à peine cinq années plus tard. »

Hector Grenon, 1974 [14]

La CROIX-ÉGLISE

Il était coutume d'ériger une croix marquant l'endroit où serait construite l'église de la paroisse, puis détruite lors de la construction. L'emplacement de la croix, et a fortiori celle de l'église, pouvait faire naître de vives controverses au sein de la communauté : l'église devenait souvent le centre du village et les terrains avoisinants prenaient de la valeur. Celui qui réussissait à donner une parcelle de sa terre pour qu'on y construise l'église était fortement jalousé. On a vu des croix être plantées et replantées à quatre ou cinq endroits. Un évêque a même eu à trancher, en 1872 à Roberval, menaçant d'excommunication les gens qui avaient arraché une croix placée par le grand vicaire Racine pour la replanter ailleurs. C'est pourquoi, d'ordinaire, seules des personnes nommées par l'évêque, prêtres desservants ou délégués, avaient le droit de planter ces fameuses *croix-églises*.

« Le calvaire, c'est un peu le crucifix qui a franchi le mur d'enceinte de l'église pour aller courir le long des routes. »

Jean Simard, 1974 [15]

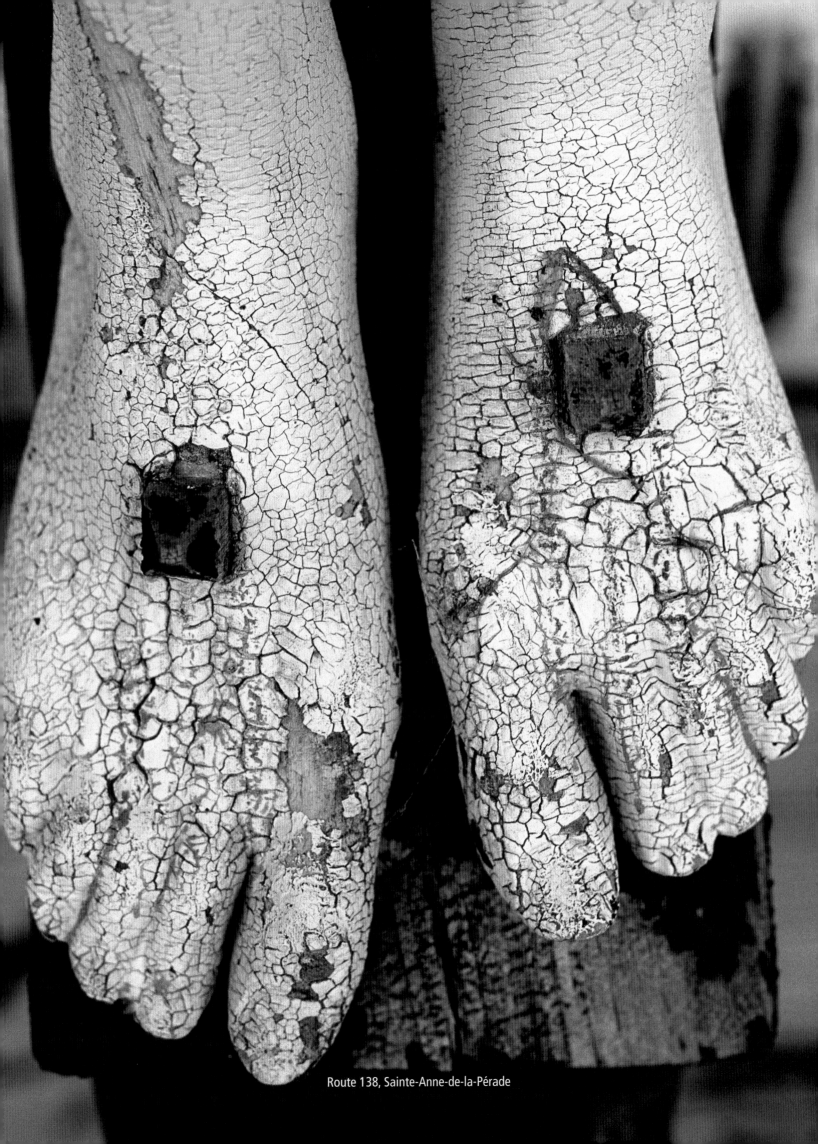

Route 138, Sainte-Anne-de-la-Pérade

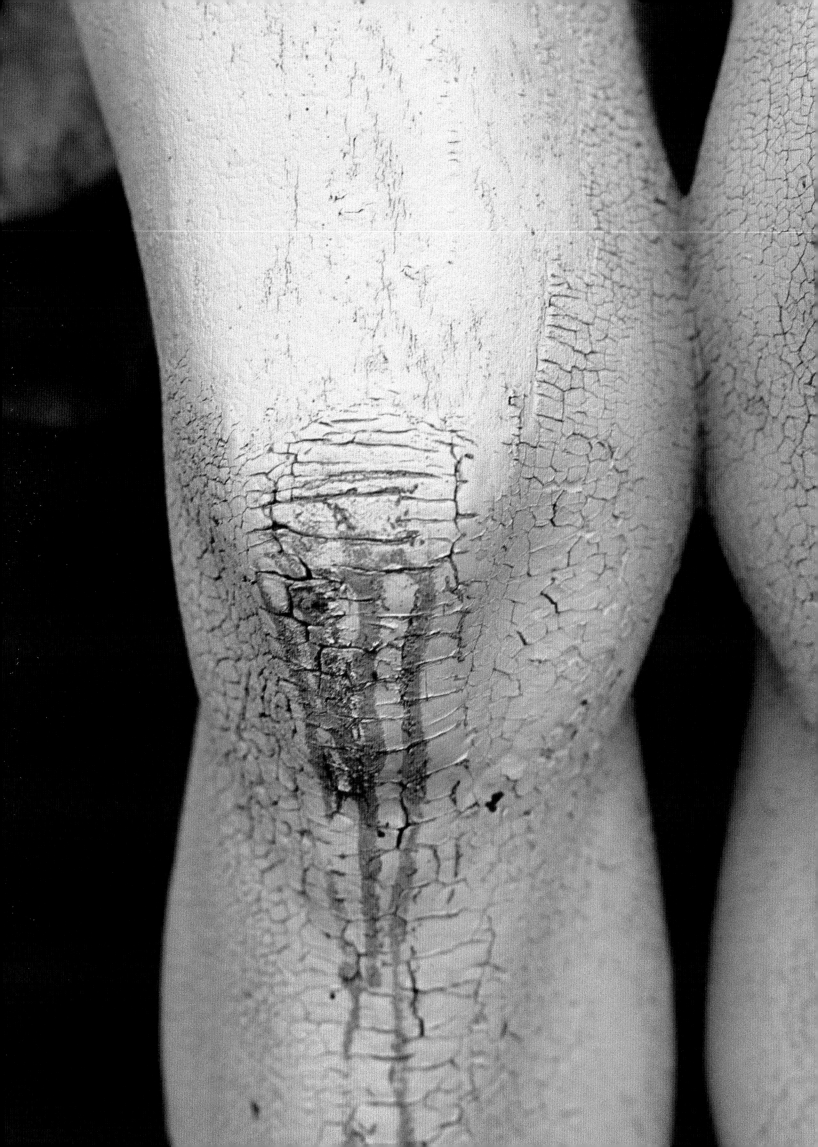

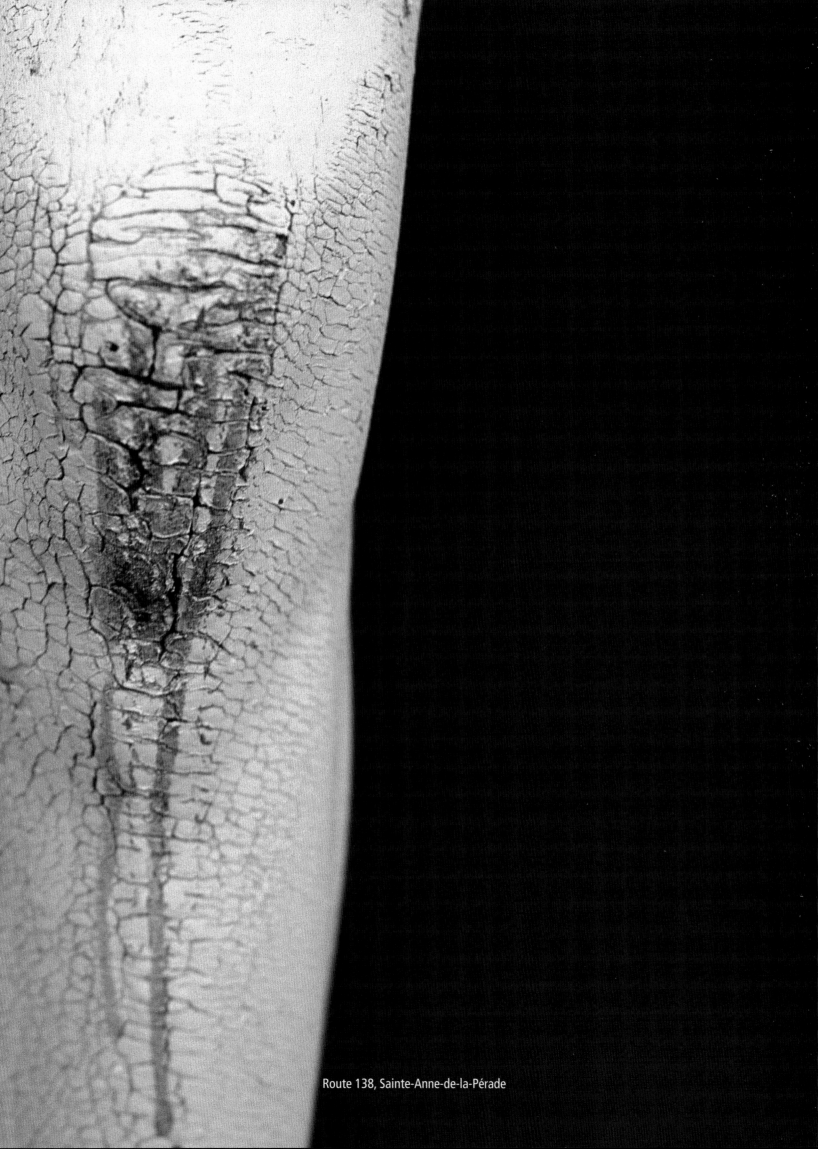

Route 138, Sainte-Anne-de-la-Pérade

1. Sorel, 2. Saint-Joseph-de-Coleraine

Lettres à MARIE-ANDRÉE DUPLESSIS DE SAINTE-HÉLÈNE et à GENEVIÈVE DUPLESSIS DE L'ENFANT-JÉSUS

Le père François-Xavier Regnard Duplessis, né à Québec en 1694 et devenu missionnaire en France, entretint une correspondance importante avec ses sœurs, toutes deux religieuses de l'Hôtel-Dieu de Québec. Il semble que ce Jésuite encourageait vivement ses correspondantes à répandre les dévotions au calvaire. Il publie même un *Avis et pratiques pour profiter de la Mission & de la Retraite & en conserver le fruit* dans lequel il décrit les rites rattachés au calvaire : solennités, lieux d'érection, bénédictions, neuvaines. Ces efforts semblent porter leurs fruits car il écrit dans une de ses dernières lettres, datée du 9 février 1749 :

« Je suis charmé qu'on commence à planter des calvaires en Canada. Cela fait faire aux passants bien des actes d'amour de Dieu. » [16]

Les croix du chemin sur la côte de Gaspé. — "Sign of the Faith" on Gaspe Coast. P.Q. — S.F. 1.

Route 104, Saint-Grégoire-le-Grand

Clarence Gagnon, *La croix de chemin à l'automne*

Foi de Marguerite

Marguerite Lescop

Malgré mes 90 ans de vie bien remplie, j'ai l'impression d'avoir vécu à vol d'oiseau. Que de belles choses m'ont échappé, que de symboles n'ai-je pas compris ? Il a fallu qu'on me demande un petit texte sur les croix de chemin pour que je constate mon ignorance et mon indifférence à ce sujet. Et pourtant, en fouillant dans un passé lointain, d'environ trois quarts de siècle, je me souviens des balades en automobile avec mon père dans « l'Overland Touring » à travers les campagnes du Québec. Quand on apercevait une croix, mon père s'arrêtait et, bien qu'il ne fût pas du type « dévot », m'invitait à faire une petite prière avec lui. Nous fermions les yeux et nous rentrions en nous-mêmes quelques instants. Je crois que c'étaient des moments de grâce insoupçonnée.

Ces croix parlent de la foi profonde de nos ancêtres. Avec quel amour ils ont fabriqué, décoré, planté ces croix ! C'est ainsi qu'ils manifestaient leur adoration, leur reconnaissance, leur attachement à leur cher « Bon Dieu ». En parcourant un livre, j'apprends qu'en 1922, on a répertorié près de 2100 croix au Québec. Malheureusement, elles ont presque toutes disparu, tombées dans l'indifférence totale.

Mais non… Oh ! surprise !

Le 28 août 2005 (foi de Marguerite), alors que je circulais (à toute vitesse) sur les routes du Lac-Mégantic, quelle ne fut pas ma joie d'apercevoir deux belles croix, à quelques kilomètres l'une de l'autre. Autre bonne nouvelle : j'apprends par la radio qu'on vient de planter une croix à North Hatley. Serions-nous en train de ressusciter spirituellement ? Pourquoi pas un petit voyage en Estrie pour vérifier de visu, comme le ferait Thomas, si cela est bien vrai, avant de crier au miracle ?

Bon voyage ! J'y serai.

+ + +

À partir d'en haut : 1. Beauport, 2. Carignan, 3. Sainte-Anne-de-la-Pérade, 4. Deux-Montagnes

Rang Sud-de-la-Rivière-du-Chicot, Saint-Cuthbert

1982
RESTAURÉ PAR
LE CLUB DE L'AGE D'OR
DE ST-GERMAIN
GRACE À SES MEMBRES ET D'UNE
SUBVENTION DU PROGRAMME
NOUVEAUX HORIZONS

Route 132, Saint-Germain-de-Kamouraska

DEUX PLANCHES, UNE ÉCHELLE, UN COQ

La croix de chemin, c'est d'abord une affaire privée, une œuvre de l'art populaire. Elle échappe très souvent au sacro-saint pouvoir du curé, à l'iconographie codifiée de l'Église catholique. Du Canadien français, elle est la part de son insoumission. On construit la croix, toute simple, en famille ou entre voisins. Elle est souvent de bois, parfois de métal, clôturée pour délimiter l'espace du culte. Lorsqu'on a un peu plus d'argent, on commande un christ. Au jour dit, on se regroupe et on fait une corvée. Peu à peu, la croix se voit ornée d'un ou de plusieurs instruments de la Passion qui ont servi à crucifier Jésus, clous, lance… et jusqu'au bol de vinaigre.

8ᵉ Rang Sud, East Broughton

À partir d'en haut : 1. Saint-Joachim, 2. Sainte-Anne-de-Beaupré, 3. Château-Richer, 4. Sainte-Perpétue

Les INSTRUMENTS DE LA PASSION

La représentation des instruments de la Passion du Christ apparaît au deuxième siècle et reprend de plus belle au Moyen-Âge. En Europe, on ne vénérait pas seulement la Croix, mais aussi les « Armes du Christ », ces instruments ayant servi à torturer Jésus et dont le nombre ne cesse d'augmenter à partir du XIIIe siècle. Au Québec, la semaine sainte est l'un des moments les plus importants de l'année, et les agriculteurs, qui ont assez de temps libre à cette période de l'année, participent aux cérémonies durant lesquelles ils entendent toujours la même histoire : celle de la Passion du Christ qui, à travers la douleur, rachète les péchés des hommes. La Passion a donc marqué l'imagination des fidèles, c'est peut-être pourquoi tant de croix sont ornées d'instruments.

Les instruments de la Passion évoquent les événements décrits par les évangélistes, et il n'est pas rare qu'un symbole fasse référence à différents événements. Ainsi, la main peut être celle du soufflet, tandis que la main trouée, celle du Christ ressuscité ; le coq, placé au sommet de la croix, évoque le reniement de Pierre ; pour d'autres, il s'agit du coq dont le cri aurait prévenu le Christ que l'heure de la résurrection était arrivée.

Souvent, on retrouve aussi la couronne d'épines et l'écriteau sur lequel on peut lire l'inscription INRI (Jésus de Nazareth, Roi des Juifs) car Jésus est exécuté pour avoir prétendu être roi ; les clous, le marteau et les tenailles qui ont servi à la crucifixion sont souvent regroupés. Le cœur est tantôt flamboyant, rayonnant, tantôt entouré d'épines, ou encore transpercé par un poignard. Le bâton auquel on avait attaché une éponge imbibée de vinaigre fait souvent pendant, pour des questions de symétrie, à l'échelle ayant servi à décrocher le Christ et à la lance qui a transpercé son flanc.

Lors de leurs enquêtes, un groupe d'ethnologues travaillant avec Jean Simard ont tenté d'interroger les gens sur le sens qu'ils donnaient aux instruments de la Passion.

«Je me souviens d'une informatrice en particulier. Je lui ai dit, en lui montrant le porte-éponge : "Ça, pour vous, qu'est-ce que c'est ?" Elle me dit : "Ah! bien ça, ça servait à picosser le Christ." Et puis elle a ajouté : "Il faudrait demander à monsieur le vicaire, il saurait plus que moi." »

René Bouchard, 1979 [17]

Route 132, La Pocatière

Cornelius Krieghoff, *Le blizzard*

Une P'TITE BROSSE

« Je me suis fait conter aussi qu'entre Saint-Joseph et Vallée-Jonction on a élevé, il y a longtemps, un beau calvaire qui existe encore. Quand on l'a construit, la population était pauvre et on ramassait des contributions de porte à porte. Et c'est ainsi qu'on arrive à la porte d'un cultivateur qui n'était pas riche. On lui demande donc s'il avait quelque chose à donner pour le calvaire qu'on voulait ériger. Il dit : "Oui. J'me laisserai pas traîner les pieds, ça m'fera ça de moins à boire." Ç'a été le plus gros souscripteur, il a donné vingt-cinq dollars. Mais voilà que deux ans après, un dimanche soir où il avait pris une petite *brosse* et puis une autre, il s'est retrouvé pas mal *paqueté*. La conclusion, c'est qu'à deux heures du matin il s'est réveillé, son cheval arrêté devant le calvaire en question. À son réveil, il se met à genoux et dit : "Salut ! ô bonne croix !" Il n'y a pas eu davantage de désastre et il a retrouvé le chemin justement au pied de son calvaire. Autrement, il risquait de prendre le fossé ou de mourir de froid. C'était en hiver. Quand le ciel veut parler à la terre, il trouve toujours un moyen de s'exprimer. »

Antonio Arsenault, 1979 [18]

Chemin Champagne et rang Saint-Joseph, Saint-Zénon

La croix invisible

Hélène Pedneault

Jadis, il y avait une croix de chemin à Saint-Zénon, à l'angle du chemin Champagne et du rang Saint-Joseph. Elle est toujours là, mais par un curieux phénomène de cécité sélective, plus personne ne la voit. Tous les gens du village à qui je pose la question, à l'épicerie, à la mairie, au téléphone, me répondent la même chose : « Je me souviens qu'il y en avait une, dans le temps, au coin du chemin Champagne et du rang Saint-Joseph. Mais je pense qu'elle n'est plus là. » Puis le secrétaire de la mairie, Alain Saint-Vincent Rioux, est allé faire un tour dans le rang, un dimanche, pour en avoir le cœur net. Il me rappelle, sa voix est incrédule : la croix est encore là. Mais plus personne ne la voit, même ceux qui passent très souvent par ce chemin très fréquenté qui mène au *Cabanon*, y compris moi-même, qui prends toujours cette route pour aller chez madame Dolbec, la meilleure tisserande du coin, et qui suis passée devant au moins dix fois. La croix est devenue invisible. À l'œil, elle est de la même grandeur que mes pommetiers, qui mesurent bien quatre ou cinq mètres, mais elle s'est comme effacée discrètement du paysage, probablement à mesure que la petite église en bois du village se vidait de ses fidèles. Maintenant que je sais où elle est, je la repère tout de suite, je ne vois plus qu'elle. Comment ai-je, comment avons-nous pu ne plus la voir ?

La croix est droite comme un soldat, toute blanche dans le vert foncé du paysage, la tête dans le ciel bleu. Son bois n'est pas pourri, elle semble même fraîchement repeinte. Comme toutes les croix du Québec, elle ne parle que le français, avec quelques mots de latin. Au croisement des deux planches, il y a un cercle, formé de motifs attachés les uns aux autres. Je vois une auréole d'oiseaux qui se tiennent par les ailes, mais ce sont peut-être des petites couronnes ou des fleurs de lys stylisées reliées les unes aux autres. Ça dépend du regard. Il n'y a pas de Christ sanguinolent, mais André Baril, le fils de Georges-Albert, m'a dit qu'il y avait un tout petit cœur saignant rouge au milieu d'une couronne, en plein milieu du cercle. On ne voit pas le cœur de la croix, il est trop haut. Ce qu'on voit, c'est juste une croix qui ne saigne pas, avec des motifs qui ressemblent à des couronnes de roi sans épines, fixées au bout de ses bras et de sa tête. Il y a quand même le sigle INRI inscrit sous la couronne du haut, qui signifie *Iesus Nazarenus Rex Iudæorum* : Jésus, Roi des Juifs. Les tortionnaires romains avaient trouvé ça pour rire de lui jusqu'à la dernière minute. Dans la partie basse, en plein milieu de la planche verticale, il y a une niche qui abrite une statue de saint Joseph portant l'enfant Jésus dans ses bras, presque sur son épaule. Nous sommes au coin d'un rang qui porte le nom du père charpentier. Le fils de Georges-Albert m'a raconté que, jadis, cette même niche abritait une Sainte Vierge. Au mois de mai, qui était d'abord le mois de Marie avant d'être le mois du printemps, de l'apparition des feuilles et du retour des huards, les gens se réunissaient autour de la croix pour réciter le chapelet. Qui a décidé d'enlever Marie de sa niche pour y placer Joseph ? Pourquoi ? Un mystère de plus.

Quelqu'un a coupé le bois de cette croix, quelqu'un l'a conçue, quelqu'un l'a construite, quelqu'un en a découpé patiemment les motifs, quelqu'un l'a peinte : est-ce la même personne ? J'entends passer le nom de Joseph Trudel. On n'est pas certain. On ne sait pas quand il l'aurait construite, ni pourquoi. Mais c'est sûrement avant 1948. Elle était là en 1948, André Baril est formel. Puis quelqu'un d'autre l'a entretenue : sur plusieurs décennies, ça ne peut pas être la même personne. J'entends passer le nom de Georges-Albert Baril, le père d'André. Est-ce un héritier de celui qui a construit la croix, un croyant fervent, un voisin compatissant envers les croix esseulées ou un employé de la municipalité, qu'on appelait encore un « village » à cette époque révolue ? Pourquoi faut-il que des beaux mots comme « village » soient eux aussi révolus avec les époques ? Pourquoi des mots chargés de sens et d'images ont-ils été remplacés par des mots exsangues et abstraits ? Entre les mots « village » et « municipalité », très nettement, on a fait le choix du virtuel sans racines, le choix du vide. La vie grégaire et conviviale qu'on entendait grouiller dans le mot « village », avec ses secrets bien opaques dans les caves et les greniers, n'est plus, dans le vocable comme dans la réalité. Qui a dit qu'il était nécessaire de vider les mots de leur sens et de leurs atours pour exprimer le passage du temps, le progrès et la modernité ? Il y a des mots qui meurent pour de bonnes raisons, parce que des taches indéfendables s'y sont incrustées : c'est ainsi que le mot « race » n'a pas survécu au nazisme, mais il est au moins resté vivant dans son sens figuré. « Quand on est de la race de pionniers, on est fait pour être oublié », chante Raymond Lévesque. Mais quand on dit de Montréal que c'est un « gros village », on n'est pas en train de lui faire un compliment.

Tous les rangs de Saint-Zénon avaient leur croix, au temps de la ferveur religieuse, quand Dieu avait une longue barbe blanche, que le Saint-Esprit était une langue de feu et que le Fils de Dieu, à moitié nu, torturé, était couvert de plaies. La croix du rang Saint-Joseph est maintenant seule. D'autant plus seule qu'elle est invisible. C'est ainsi qu'une « multitude » peut devenir une « solitude ». Mais aux deux extrémités de leur spectre, ces deux mots racontent chacun leur propre histoire. Dans ses premières années de vie, la croix du rang Saint-Joseph était peut-être une étape des processions de la Fête-Dieu ou du Vendredi saint. Avant qu'elle devienne invisible, tous les gens du village devaient venir s'agenouiller devant elle dans leurs plus beaux habits, ceux des dimanches, des noces, des anniversaires, des confirmations, des demandes en mariage, des remises de diplôme de 7e année, des baptêmes et des funérailles. Quand on passait devant, à pied, à cheval ou dans les premières autos, j'imagine qu'on la saluait avec le signe de la croix, dans ce temps où la vie sur terre était considérée comme un chemin de croix. Les dimanches, on s'y réunissait peut-être pour réciter quelques prières ou un chapelet. Était-ce pendant l'émission de radio *L'heure du chapelet*, où le cardinal Léger égrenait les *Je vous salue, Marie* et les *Notre Père* en roulant ses R, avec une grande partie des Québécois.es, qui vivaient alors à genoux, la plupart du temps ? Certain.e.s récitaient même le chapelet, voire un rosaire entier avec les bras en croix, par-dessus le marché, pour mieux souffrir et grappiller quelques indulgences de plus, les seules mathématiques que ces premiers Québécois.es connaissaient par cœur sans compter sur leurs doigts.

La rumeur se répand dans le village que je cherche une croix. Je parle à Noëlla Godefroy, qui me parle de la croix. Confusion. Je me rends compte qu'elle me parle d'une autre croix, celle-là dédiée à Notre-Dame-du-Cap, au bout du même chemin Champagne, mais au coin du Grand Chemin, dit-elle, entendre la route 131. Elle est beaucoup plus récente et a été construite dans les années 1950 ou 1960, à la demande de Noëlla, par son frère Alain et son mari Léonard. Cette croix est aussi devenue invisible, au milieu des branches des cèdres qui l'ont envahie.

Il faut croire que les symboles peuvent mourir, comme nous, au bout de leur sang, en apportant avec eux ce qu'ils représentent. On dirait qu'ils ont le pouvoir d'effacer leurs images de notre champ de vision, voire de notre rétine, autant qu'ils avaient jadis le pouvoir de graver profondément en nous ces mêmes images, jusqu'à nous faire croire qu'elles faisaient partie, de naissance, de nos neurones.

Je n'aime pas ce que les croix de tous ordres ont représenté pour les Québécois.es, et pour les femmes en particulier. Je ne veux pas qu'elles reviennent contrôler nos vies, je ne veux pas non plus qu'on les arrache, elles ne sont pas de la mauvaise herbe, je veux simplement qu'on recouvre la vue et qu'elles cessent d'être invisibles. Nous avons une décision à prendre, d'élaguer l'arbre de notre identité pour faire surgir de nouvelles pousses et permettre à d'autres symboles d'émerger. Si nous nous remettons à voir nos croix de chemin, nous n'oublierons peut-être pas que les symboles utilisés pour nous asservir n'auront plus jamais cours ici, quel que soit le dieu invoqué. Nous pourrons alors regarder nos croix sans devoir les porter, cette fois avec l'infinie tendresse dont la mémoire est capable, qui se souviendra des joies et des rires, des blessures, du travail acharné, des enfants à la douzaine, des jeunes qui vieillissaient trop vite, des vieux qui mouraient trop jeunes, des larmes, des luttes, des grosses maladies sans remèdes, de l'espoir, du courage et de la vie dure, héritage qui s'est transmis jusqu'à nous à travers les corps croisés de nos parents de culture et de sang.

+ + +

Saint-André-de-Kamouraska

L'ÉRECTION

La plantation d'une croix relève fort souvent de l'initiative personnelle, mais dans tous les cas, une fois qu'elle est érigée, on fait venir le curé pour qu'il la bénisse. Habituellement, le curé annonce en chaire qu'il ira chez l'un ou chez l'autre, dans tel rang. On s'affaire alors à décorer la croix de fleurs et de banderoles. Lorsque le curé arrive, il y a déjà une petite foule de gens habitant le rang et même des villageois qui se sont déplacés pour assister à l'événement. Le curé procède alors à la bénédiction de la croix, et récite le *Solemnis Benedictio Crucis.* La croix appartient alors à Dieu, et l'endroit où elle est plantée est maintenant sacré. La croix est un lieu de rassemblement populaire. Si la croix a été érigée par l'élite, ou si elle a été profanée ou vandalisée, on tente de la restaurer et on la refait bénir, ou alors on l'abandonne tout simplement. Si la croix a été érigée dans le seul but de montrer à son voisin qu'on a *une plus grosse croix que la sienne,* alors on n'y prête tout simplement pas attention.

Route 132, Rivière-Ouelle

Route 112, Saint-Frédéric À droite : Antiquités Michel Prince, Sainte-Eulalie

La BÉNÉDICTION

Le dimanche 16 octobre 1932, avait lieu la bénédiction d'une croix érigée sur l'emplacement de l'école du rang Saint-Joseph à Paspébiac.

« La croix est un paratonnerre puisque l'Église en la bénissant, demande à Dieu qu'il accorde la santé de l'âme et du corps à ceux qui s'inclineront devant elle. Dans ce salut quotidien, à la grande croix de l'école, les enfants fortifieront leur foi et puiseront générosité au travail. »

Mgr Matte, 1932 [19]

On retrouve, dans les archives du couvent des Sœurs de la Providence de Sainte-Ursule, la description détaillée de la bénédiction d'une croix érigée sur les terres du couvent :

« Ce 2 septembre 1900, jour de la fête de Notre-Dame des Sept Douleurs, fête spécialement chère à notre institut, a eu lieu la bénédiction d'une croix, sur notre terrain du rang Beaupré. Cette croix fut construite gratuitement par monsieur Joseph Baril de cette paroisse. Dans un enfoncement préparé à cet effet, notre sœur Jean de Climaque, supérieure, voulut bien déposer une petite statue de la Sainte Famille, en souvenir du titre patronal de notre maison : *Providence Ste-Famille de Ste-Ursule*. Une jolie fête a eu lieu en cette occasion. Tout le personnel se rendit en voiture sur la place. En présence d'un grand concours de paroissiens, eut lieu la bénédiction de la croix par monsieur l'abbé E. de Carufel qui prononça en même temps l'allocution de circonstance. M. de Carufel est desservant de la paroisse. En fixant cette croix sur notre terrain, nous avons sollicité les bénédictions du ciel sur notre maison, et la fécondité de notre sol. Ces faveurs semblent nous avoir été accordées par anticipation, car la récolte est belle et annonce une riche moisson. » [20]

PATATES
ROUGE
CAROTTES
A
C CHEVREUILS

FERME OREL

SPARTAN
CORTLANd
EMPIRE
ERABLE

Route 138, Neuville

La CROIX DE CHEMIN ET *LE REFUS GLOBAL*

On peut lire dans le manifeste du *Refus global* : « Au diable le goupillon et la tuque ! » Mais aussi paradoxal que cela puisse sembler à première vue, certains des signataires, dont Madeleine Arbour et Jean-Paul Riopelle, ont aussi formé, dans les années 1940, la *Société protectrice des girouettes de la province de Québec*. Derrière l'humour de la chose, l'enjeu est réel : sauver les girouettes de la destruction ou de l'exil. Véritables Robins des bois de nos croix de chemin, les membres de la Société n'hésiteront pas, à une époque où aucune loi ne s'occupe de conservation, à *cueillir* des coqs girouettes pour les mettre à l'abri des voleurs de patrimoine. Le règlement de la Société est toutefois formel et tous y souscrivent : tous les coqs ainsi recueillis devront être rendus à des musées. Madeleine Arbour est mandatée par ses pairs pour être, d'ici là, dépositaire de la précieuse volière.

Photo : *À voleur volé*, œuvre de Madeleine Arbour constituée de 3 coqs girouettes. Le coq de métal lui a été offert vers 1947 par Jean-Paul Riopelle, qui avoua 50 ans plus tard l'avoir ramassé par terre à Saint-Hilaire. La croix de bois qu'il surmontait venait d'être abattue pour des travaux de voirie. Le coq en bois naturel surmontait une croix de chemin située sur la ferme de la sœur de Madeleine Arbour, à l'île Perrot. Vers 1970, Madeleine et un groupe d'amis le subtilisèrent afin de l'offrir à Riopelle pour son atelier de l'Estérel. Elle le lui reprit toutefois pour préparer cette installation mais à… l'insu du peintre. À voleur volé ! Le coq en bois peint blanc et rouge fut laissé par un ami… inconnu à la porte de son atelier, vers 1971. [21]

Madeleine Arbour, *À voleur volé*

À partir d'en haut : 1. East Broughton, 2. Château-Richer, 3. Saint-Antoine-de-Tilly

MIRACLE SUR LE BUTTON

« Il y avait eu une vieille légende attachée depuis fort longtemps à cette antique et fruste création des ancêtres. Une vénérable tradition voulait en effet qu'un siècle auparavant un ancien de la famille se serait amené sur les lieux avec une vingtaine de *bons lurons* pour défricher la terre encore en bois debout et qu'on avait aussitôt décidé, avant toute chose, de construire une grande croix. Une fois terminée, cette dernière devait être installée sur un « button », ce qui ferait qu'elle pourrait alors être aperçue de tous les lots du rang à grande distance. Mais bientôt, et pour aucune raison donnée, il y avait eu conflit entre les nouveaux colons au sujet de l'endroit qui avait été suggéré, et qui était sur le lot de l'aïeul, pour ériger un pareil monument. Aussi, lorsque tout a semblé être prêt pour la corvée de plantation, après la journée faite, l'aïeul s'était retrouvé tout seul même après avoir attendu jusqu'à tard dans la nuit et après l'arrivée des étoiles. Toutefois, et comme dans tous ces beaux récits légendaires de chez nous, le grand-père ne s'était pas laissé abattre par un tel contretemps. Il décida au contraire séance tenante de faire seul l'ouvrage qui aurait dû prendre dix hommes. Et quand le lendemain, au lever du soleil sur la baie, on s'est aperçu de l'excellent résultat avec la croix en place et bien droite, et son coq de bois qui chantait très fort, les bonnes femmes ont vite fait de raconter avec beaucoup d'assurance comment l'ancien, alors jeune et costaud, s'était fait aider en secret dans son entreprise gigantesque par rien moins que le grand et solide saint Michel archange, ou encore par le bon Cyrénéen. Affirmations qui, bien sûr, n'encouraient aucun risque d'être contestées. On voit cela d'ici. Et voilà la légende. »

Hector Grenon, 1974 [22]

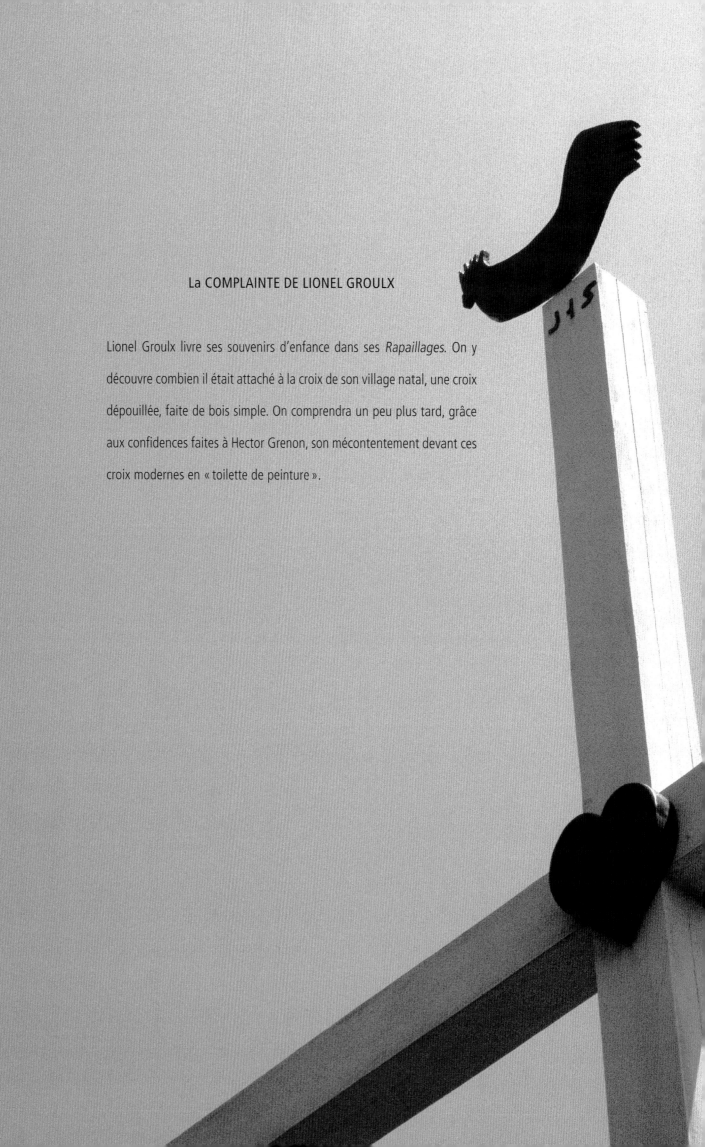

La COMPLAINTE DE LIONEL GROULX

Lionel Groulx livre ses souvenirs d'enfance dans ses *Rapaillages*. On y
découvre combien il était attaché à la croix de son village natal, une croix
dépouillée, faite de bois simple. On comprendra un peu plus tard, grâce
aux confidences faites à Hector Grenon, son mécontentement devant ces
croix modernes en « toilette de peinture ».

« Elle était toute vieille et toute grise. Elle était faite de deux boulins de cèdre mal équarris ; un vieux coq de bois grossièrement sculpté la surmontait. Mais quel grand air vénérable lui donnait malgré tout son costume du pays ! Dans la première vision du monde, qu'enfants nous avions prise, par les fenêtres de la maison paternelle, il y avait du côté de l'ouest, le clocher de l'église et la croix du chemin. Nos yeux de tout-petits regardaient souvent, sans trop comprendre, cet arbre étrange au bord de la route, sans feuilles, avec une seule branche en travers. La Croix ! Ce mot divin fit son entrée dans notre vocabulaire avec les premiers vocables de la langue. Plus tard, avec les premières leçons de catéchisme, nous comprîmes le mystère de la croix ; et la vieille croix de cèdre saluée matin et soir sur la route de l'école devint la grande amie. [...] Le matin de ma première communion, il faisait un beau soleil de mai. Je donnais le bras à ma mère ; mon brassard de soie blanche flottait au vent. Quelque chose bondissait bien fort dans ma poitrine. En passant devant la vieille croix, j'ôtai mon chapeau et je saluai très bas. Le vieux coq – ah ! je suis bien sûr de l'avoir entendu – comme au temps de mon aïeul, chanta, dans le matin clair son plus joli cocorico. La vieille croix, elle, me regarda avec amour. Elle avait dans le regard, l'expression de tendresse qu'à mon départ de la maison j'avais vue dans les yeux de ma grand'mère, et elle me dit comme ça, très affectueusement : "Bonjour, mon petit ami !" »

Lionel Groulx, 1916 [23]

Chemin de la Côte-Nord, Mirabel

QUELQUES ANNÉES PLUS TARD…

« C'est alors que Lionel Groulx n'a pu s'empêcher de s'écrier, sur un ton nettement scandalisé, que les croix beaucoup trop modernes des débuts du présent siècle affichaient à présent des airs de véritable élégance et qu'elles portaient même une *toilette de peinture* toute blanche. Ce qui à son sens jurait avec la destination ancienne et traditionnelle du pieux monument. Elles avaient en outre, ô horreur !, a-t-il dit, jusqu'à de l'or au bout des bras. On voit ça d'ici et on comprend la confusion de l'abbé. De plus, ces pauvres croix étaient à présent garnies d'une échelle, d'une lance d'infanterie antique, d'un cœur saignant, d'une grosse couronne d'épines et de littéralement tout un tralala. Mais, ô malheur !, avait aussitôt ajouté le pauvre abbé de plus en plus scandalisé, ces tristes croix si bien arrangées et si bien mises pour plaire à l'œil, ne savaient plus parler aux gens comme le faisaient les anciennes croix de jadis. L'homme tout estomaqué n'en revenait littéralement pas. Il n'en pouvait croire ses yeux. »

Hector Grenon, 1974 [24]

Rue Dumoulin, Laval

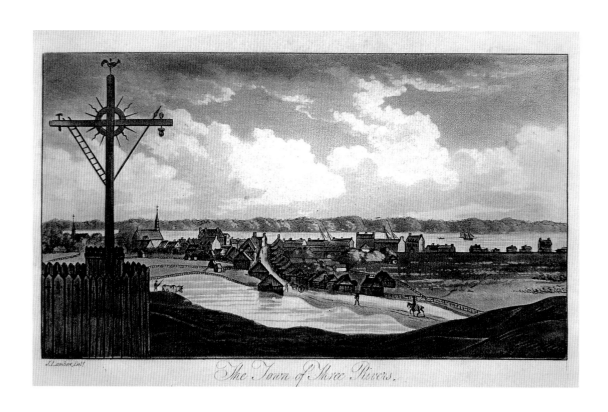

The Town of Three Rivers.

John Lambert, *The Town of Three Rivers*

Un SUÉDOIS AU PAYS DES CROIX

Des étrangers parcourant la colonie au cours des XVIIIe et XIXe siècles ont documenté leur voyage dans la vallée du Saint-Laurent. On compte parmi eux un Suédois, venu en voyage en 1748 ; il s'agit de Pehr Kalm. Ce dernier est frappé par l'abondance des croix de chemin qu'il considère comme une marque de l'originalité de la culture locale.

« De distance en distance on voit des croix plantées le long du chemin qui court parallèlement au rivage. Cet emblème est très fréquent au Canada et sert à favoriser la piété du voyageur. Ces croix de bois ont une hauteur de cinq à six verges et leur largeur lui est proportionnelle. Le côté qui fait face au chemin présente une niche carrée renfermant une image de notre Sauveur crucifié ou de la Vierge avec l'Enfant dans les bras, niche devant laquelle on a mis un carreau de verre pour éviter qu'elle ne soit détériorée par les intempéries. Quiconque passe devant la croix lève son chapeau ou pose un autre geste de révérence. Ces croix situées non loin des églises sont très ornées et on y a placé tous les instruments dont ont dû se servir les Juifs pour crucifier notre Seigneur, comme un marteau, des pincettes, des clous, un récipient de vinaigre, et peut-être beaucoup plus qu'ils n'en ont employé en réalité. Une représentation du coq qui chante lorsque saint Pierre renia notre Seigneur est communément placée au sommet de la croix. »

Pehr Kalm, 1748 [25]

Nicholas Morant, *Wayside Cross at Baie St. Paul*

Croisées

Raôul Duguay

Je me souviens. Le premier cadeau que j'ai donné à ma première blonde, c'était une petite croix faite de faux diamants. Ce n'est pas la petite croix qui avait séduit ma blonde, c'était la chaîne en argent qu'elle me disait porter comme un cercle de lumière entourant son cou.

Du plus loin qu'il m'en souvienne, la première fois que j'ai tracé un signe de croix, entre mon front mon nombril et mes épaules, c'était le jour où ma mère, en larmes, bordait mon père sur son lit de mort. Elle marmonnait son rosaire et à chaque « notre père », faisait des signes de croix. J'avais cinq ans. Je croyais qu'elle chassait des mouches ou des maringouins en mon Abitibi natale. Mais il n'y en avait pas dans la chambre mortuaire. Ne connaissant pas encore le sens sacré de ce geste, je jouais avec la petite croix qui pendait au bout de son chapelet pendant qu'elle l'égrenait. Puis, sans le faire exprès, j'ai tiré trop fort dessus et la croix s'est détachée du chapelet. Ma mère m'a laissé faire. Puis, après avoir terminé sa prière, elle a pris ma main droite et m'a appris à faire le signe de la croix, me disant et me faisant répéter : *Au nom du Père et du Fils et du Saint-Esprit. Amen. Parle au petit Jésus pour qu'il ne laisse pas partir ton père dans le ciel*. Alors j'ai compris que se signer de la croix était toujours un appel au secours, un signe où se croisaient la vie et la mort, un pont entre le ciel et la terre.

Plus tard, quand j'ai vu mon oncle, sans travail et sans le sou, signer la vente de sa maison en traçant une croix sur le contrat, alors vraiment, cette croix m'a pesé. Je me suis promis de lire et d'écrire pour tous ceux qui ne le peuvent pas, de partir en croisade pour défendre la cause des analphabètes qui ne peuvent même pas faire des mots croisés, qui ne savent même pas lire le nom de leur candidat quand ils doivent faire une croix sur leur bulletin de vote et qui pourtant y arrivent, car ils savent le langage des yeux, ils savent distinguer entre le rouge, le vert et le bleu d'une démocratie qui leur apprendra peut-être un jour à sortir du silence des lettres pour partir à la conquête de l'histoire humaine dont on ne trouve qu'infimes parcelles dans les mots croisés.

J'ai tiré une croix sur les mots croisés, ceux que l'on cherche à placer dans des petits carrés en sirotant un café, ceux dont on cherche la définition dans le dictionnaire pour passer le temps, passer pour un être intelligent en trouvant les mots xylophages qui rongent le bois de l'arbre dont est faite la page du journal. Quand je cherche un mot, ce n'est pas pour passer le temps, c'est pour que le temps me passe à travers comme le couteau dans le carré de beurre, l'éclair dans la ténèbre de mon cœur, dans ma tornade intérieure. Quand je cherche un mot, c'est pour être de ce monde comme n'y étant pas, changer d'espace, me déplacer vers des dimensions nouvelles, inventer des mondes parallèles, uniques, qui ne se croiseront jamais, mais d'où émergeront des oasis de lumière, les déserts fleuris de l'imaginaire. Chaque mot est le rêve d'un grain qui se désagrège dans l'argile des jours, éclate de la fureur de se lever debout, défonce la terre, passe à travers, pointant sa tige timide vers le ciel, et d'un rire verdoyant, crie la victoire du règne végétal.

En réalité, je ne cherche jamais les mots, les mots me trouvent là où je suis : assis à la croisée des silences, au seuil des mystères. À la croisée des mots se réveillent les naissances premières des signes et symboles où l'homme ancestral a buriné le sens des choses, le voyage des émotions et actions des humains.

Écrire est un chemin multiple où les avenues du sens croisent les rues des images, des couleurs, des formes et des musiques. Sur les mots qui ne jubilent pas ou ne saignent pas, je tire une croix. Toutefois, entre l'épine et le pétale, il arrive qu'il faille choisir les deux. Tantôt rosace où se croisent les roses et tantôt couronne où s'enfoncent les épines dans la chair du chagrin, les mots se portent parfois comme croix faite de plumes volatiles et parfois comme boulets de plomb enchaînés aux chevilles de sa destinée.

Les mots sont ma rose des vents. Aux quatre vents, ils m'envolent.

Assis sur le silence sidéral, au centre solaire de mon être à vide, où se dénouent les nœuds de l'ineffable, les arcanes de l'éternel, aux quatre coins du monde, s'ouvrent les ailes d'un espace secret que même mes pensées ne peuvent mettre à nu. Seul le cœur peut trouver les mots pour mesurer l'infini, en trouver les racines et les fruits qui s'entrecroisent sous les feux de la terre et du firmament. Qui peut dire de quoi est fait l'éblouissement d'un bleuet surgi des cendres d'un feu de forêt en mon Abitibi natale ! Et qui aurait pu savoir que sur l'écorce d'un bouleau, sur la peau séchée des animaux, seraient écrites les alliances des Premières Nations avec les éléments ? Et pourquoi l'eau vive des sources ancestrales baigne-t-elle aujourd'hui dans les huiles des scies mécaniques, les pesticides du profit, et pourquoi les vapeurs de l'avidité des promoteurs du progrès planent-elles au-dessus de la grâce des oiseaux qui font valser le ciel et pourquoi tous ces couteaux d'acier, de platine et d'argent saignent-ils encore la planète, pourquoi la Terre découpée en petits morceaux, en petits lots, en petits carrés pour en extirper le cœur de ses richesses naturelles ?

Le quotidien mat et plat, droit, froid, net, sec, encastré dans le quadrillé des mots croisés, m'est croix. Ces mots ne se regardent, ne s'écoutent, ne se respirent, ne se sentent, ne se parlent, ne se touchent et ne se baisent jamais. Ce sont des boîtes à lettres sans message, des boîtes de son sans musique. Ne voulant rien savoir du mystère de l'autre, les mots s'y croisent comme des inconnus dans la rue commerciale, c'est tout. Aucun enfant fort de l'esprit ne peut en naître. Faire des mots croisés, c'est l'art de ne rien faire, l'art inutile de rester les bras croisés. Tant qu'à ne rien faire, je préfère méditer, observer l'air froid qui entre par mes narines pour en ressortir chaud. Les mots croisés du journal n'ont pas de cœur. Sur les épaules de ceux qui les font, je vois toujours peser une croix : celle de l'ennui.

Pourtant, les mots sont des portes qui ouvrent l'imaginaire et font cheminer vers des horizons inouïs, vers les lumières de l'invisible, de l'inaudible. Le danger avec les mots croisés, c'est que pendant qu'on les cherche dans les tiroirs de la mémoire, la sienne ou celle de l'histoire, ils ne rêvent pas, ne s'envolent pas vers l'ailleurs. Les mots qui rampent, marchent, courent, trébuchent ou volent ont au cœur un Big Bang qui implose pour ne pas traverser la poitrine.

Toutes les cases qu'il faut mécaniquement remplir dans les formalités de la société, me pèsent comme croix de plomb. Je ne cherche jamais les mots, les mots me font plonger dans l'inconnu. Je croise les mots pour qu'ils se rencontrent, s'accouplent et s'engendrent, pour qu'ils regardent ensemble quel chemin ils vont prendre et à quel point ils vont arriver, seuls ou ensemble. Mettre les mots dans un enclos dans une case dans une cage, c'est couper les ailes de leur liberté.

Souvent le monde m'apparaît comme une page de mots croisés. Personne n'y part en croisade pour quelque rêve d'une nouvelle humanité. Les mots croisés, ce ne sont que des lettres esseulées. Ils ne partent jamais en croisière autour d'eux-mêmes. Jamais ne sont-ils des échelles, des échasses, pour traverser les nuages, se hisser jusqu'au plus profond du plus haut où chante le sublime. Jamais les mots que l'on croise en lisant le journal ne sont-ils des escaliers roulants, des glissoires, pour descendre au cœur de ses entrailles, s'étendre sur les braises de son être fragile pour mieux rejaillir geyser, orgasme de vivre à neuf, fleur éblouie où l'espace s'épanouit de beauté.

Partir, partir, partir entre Lune et Soleil, vers les carrefours où tout est encore possible, partir comme les oiseaux de l'espérance, faire de ses ailes des croix de lumière dans le ciel pour marquer les moments les plus précieux de l'existence, ceux où des amoureux se donnent rendez-vous à la croisée des chemins, ceux où les peuples, croisant leurs cultures, se rassemblent pour fraterniser et inventer ensemble un ici qui chante et sourit. Partir, croiser en chemin des visages et leur donner un nom, partager des mots, des idées, des émotions. Partir, ne plus croiser le fer, laisser tomber les croix de guerre, ne plus avoir besoin de la Croix-Rouge, ne plus faire de signe de croix sur l'humanité. Partir, pour aimer, pour écouter le battement du cœur du monde.

Il n'y a de repos que pour celui qui part et suit librement son chemin pour arriver enfin à soi.

Le chemin jamais ne bouge. Par monts et par vaux, le voyageur avance vers son destin. Est-ce celui qui s'en va, est-ce celui qui s'en vient qui est sur le bon chemin ? En ce monde ou hors de ce monde, il n'y a de repos que pour celui qui marche, les bras en croix, ouverts pour embrasser la vie, la paix dans le cœur.

+ + +

Avenue Royale, Château-Richer

À partir d'en haut : 1. Sainte-Marie-de-Beauce, 2. Rivière-Ouelle, 3. Lavaltrie, 4. Saint-Thomas-d'Aquin

La CROIX DES BEAUREGARD

« Érigée en 1979 grâce à la contribution des Amis de la croix du Haut-de-la-Rivière, la croix des Beauregard est la réplique fidèle de celle élevée en 1929 en face de la maison. Elle fut relevée des cendres en 1979 grâce à un consensus financier des habitants du Haut-de-la-Rivière. L'ancêtre de cette croix était tombée d'usure par le vent. "Cette croix est éclairée la nuit grâce à la bonté de la coopérative d'électricité de Saint-Jean-Baptiste-de-Rouville. Je suis le seul de la région à avoir un droit acquis pour l'éclairage d'une croix de chemin", souligne fièrement M. Beauregard. "Autrefois, la croix de chemin unissait les gens du rang," indique Germain Beauregard, "il y avait une solidarité autour de ces croix qui dépassait toutes les différences que nous pouvions avoir. Les croix de chemin rappellent ces communautés vivantes qui traversaient ensemble de dures épreuves. C'était une époque où nous avions plus de temps et moins d'exigences. Aujourd'hui, nos jeunes sont sur le tracteur souvent jusqu'au soir, car les terres sont plus grandes. Je ne suis pas nostalgique. Les temps changent et je ne suis pas prêt à dire que c'était mieux avant. Notre pratique religieuse est différente, moins visible, plus intérieure. Mes enfants n'ont peut-être pas le même attachement que moi à la croix de chemin, mais je suis certain qu'ils continueront de l'entretenir par respect pour ceux qui ont vécu avant eux." »

Isabelle Éthier, 2006 [26]

Croix Germain Beauregard, Saint-Damase

Antiquités Michel Prince, Sainte-Eulalie

La DISPARITION

La plupart des croix ont une vie limitée – une vingtaine d'années – et sont donc remplacées par de nouvelles lorsqu'elles sont en mauvais état. Certaines croix ont été plantées et replantées par six générations différentes. La croix étant sacrée, on ne peut en réutiliser le bois impunément. En faire du bois de chauffage ou un piquet de clôture serait blasphématoire. Lorsqu'une croix doit être remplacée, on brûle l'ancienne, on l'enterre, on la laisse pourrir sur place, ou alors on la ceint d'une gaine de métal qui servira de nouvelle croix. Il était coutume de fixer un morceau de la vieille croix à la nouvelle pour qu'il y ait transmission de pouvoirs. Cette croyance était si vive qu'on raconte qu'à Bécancour, un vicaire bénit une nouvelle croix sans qu'une partie de l'ancienne ne fût conservée. Une sécheresse frappa alors la région. On fit donc appel à une femme des environs qui avait des *pouvoirs* et qui recommença la cérémonie en utilisant un morceau de la vieille croix en guise de goupillon. Ce n'est qu'après cet événement que la situation redevint normale.

« Parlant de croix de chemin, il y en a une juste au bout du mien, je dis toujours aux gens " À la croix de chemin tu tournes à gauche ", je sais qu'elle est là, mais moi, je ne la vois pas… »

Pierre Foglia, 2006

Boulevard Lévesque, Laval

La croix et la chain-saw

Michel Garneau

un cultivateur des Bois-Francs

raconte avec tristesse

la terre à côté de chez nous a été vendue

   au bout de la terre

là y'a ben y'avait une croix

une pas mal grosse

avec un Christ en bois

   sur un morceau d'terrain rocheux

pas cultivable

   au pied y'avait les noms

les noms des familles

qui l'avaient levée

toutes les vieilles familles

la mienne celles des voisins

celles des anciens des ancêtres

   lui le nouveau voisin

ben craire qu'y'aimait pas ça

pis l'autre jour

y'a rien dit à parsonne

y'a rien d'mandé à parsonne

y'est arrivé avec sa chain-saw

pis il l'a coupée la croix

à ras de terre

   une croix qui a toujours été là

que c'est nous autres

qu'on en faisait l'entretien

   j'ai d'mandé au curé

j'ai téléphoné au ministère

   les croix c'est pas des bâtiments

c'était pas un bâtiment classé

c'est pas protégé

   c't'homme-là est chez lui

c'tait devenu sa croix

   pouvait faire c'qu'i'voulait avec

pis c'est ce qu'il a faite !

   c'est la culture *matérielle*

reflet miroir et produit

de la culture profonde du Québec

qui m'a réveillé

de ma petite culture bourgeoise

   arrivant à Rimouski de Montréal

j'ai compris dans mes dix-sept ans

que la culture c'était pas

d'avoir lu le dernier roman

mais d'avoir les mots pour dire sa vie

dans une langue pas née d'hier

   surtout que cette vie soit dans son terroir à soi

dans sa famille parmi ses voisins

et qu'elle soit connectée au plus profond de soi

c'est ainsi que j'ai travaillé

sur toutes sortes de facettes de la culture québécoise

ancienne moderne en devenir en oubli en défrichage

en désir en utopie même

ne pouvant croire que les immenses travaux de survivance

de nos ancêtres puissent nous mener à un cul-de-sac

alors j'ai travaillé par exemple sur des films documentaires

sur l'héritage

et même sur l'héritage religieux

   agnostique je le suis depuis l'âge

de sept ans je pense c'est-à-dire

depuis ma première communion

   anticlérical je le suis depuis les jésuites

donc il s'agissait pour moi d'être honnête homme

et de reconnaître ce qui dans l'héritage religieux

avait laissé des traces belles et riches

et qu'il ne faut pas abandonner à l'amnésie

qui nous vient si facilement

   je me suis vidé de tout catholicisme

et le christianisme me laisse aussi froid

que n'importe quel système de superstitions

sauf que la folie médiatique qui a tourbillonné

autour du gros pape mourant et du petit nouveau

dont on se réjouit qu'il ait été en sa prime jeunesse

un nazi tiède m'a fait passer

de la sérénité généreuse de l'agnostique

à la fébrilité militante de l'athée

   mais comme ce sont les musiciens

croyants ou pas

(franchement je crois que Jean-Sébastien

a beaucoup essayé de croire

mais qu'il n'a jamais réussi

car s'il avait réussi

il n'aurait jamais pu écrire

toutes ces cantates

il se serait assis sur son cul béni

comme ses patrons

et se serait congratulé

jusqu'au silence repu)

et non pas les églises

qui ont sauvé la grande musique religieuse

de l'oubli

je sens comme un titillement

de responsabilité

   quand on vend une église

à un entrepreneur

pour la transformer en condos

oui je me sens volé

   ces églises ont été construites

avec l'argent des gens ordinaires

   le petit peuple était généreux

et voulait des belles églises

   tout l'héritage religieux

qui ne sert pas

est un bien culturel

qui doit être rendu

aux citoyens

d'une façon ou d'une autre

où la collectivité s'exprime

    une église ça fait un bien beau théâtre

une bonne salle de concert

    et le monsieur avec sa *chain-saw*

mérite

outre un fervent coup de pied dans le cul

de payer une amende sérieuse

et de contribuer à rétablir la croix

si elle existe encore

    (ou d'en commander une nouvelle

une moderne tiens cou don pourquoi pas ?)

parce que la croix entre autres artefacts

ne dit pas que de la religiosité

    elle nous informe historiquement

elle témoigne parfois avec précision

sur les gens qui l'ont érigée

    elle est souvent non toujours

un bel exemple d'art populaire

elle témoigne des métiers

des artisanats

    elle ne peut pas appartenir

au monsieur avec sa chain-saw

qui d'mande rien à parsonne

    parce qu'il se croit propriétaire

et qu'il ne sait rien de la première leçon

de la conscience :

que rien ne nous appartient

(pas même notre corps)

    nous sommes de passage

les uns parmi les autres

    et la plus primaire civilité suggère

de ne pas laisser de dégât à nos enfants

et de ne rien saccager des héritages

Montée Saint-François, Laval

UNE ÉGLISE À CIEL OUVERT

La croix de chemin est un lieu de rassemblement où plusieurs pratiques ont lieu. On la salue en passant, on s'arrête pour prier ; on se réunit pour célébrer le mois de Marie, le mois du Sacré-Cœur, la fête de Sainte Anne et la Fête-Dieu. Lorsqu'une catastrophe naturelle s'abat sur une région – pluie, sauterelles, sécheresse – on vient y prier en groupe. « La croix, c'était pour nous comme une manière d'église ; c'est elle qui nous parlait du bon Dieu », écrit Lionel Montal (pseudonyme de Lionel Groulx). La croix de chemin va jusqu'à devenir pour la communauté un point de repère géographique ; on demeure *juste avant* ou *à un mille* ou *en face* ou *de biais* à telle croix. Elle indique même le temps qu'il fait. Mauvais temps si, à travers le blizzard, on ne voit plus la croix. Belle nuit claire si, dans l'obscurité, on peut l'apercevoir. La croix ne fait pas seulement partie du paysage, mais du quotidien des gens, de l'âme des villages ; elle est l'esprit du lieu.

Calvaire Odilon Grenier, East Broughton Station

L'HUMUS DE NOS TERRES

« Nous sommes passés d'une culture de soumission à la nature à une technologisation de la nature en rejetant au passage tout le sacré et le culturel qui s'y rattachent. Nous sommes en train de perdre l'humus de nos terres en même temps que celui de notre culture religieuse et de nos rapports humains. Il y avait dans notre histoire culturelle et catholique, un horizon de sens capable de traverser la vie et toutes ses difficultés. Un horizon porteur d'espérance que le monde laïque n'a pas réussi à remplacer. Or, il se trouve que le milieu rural porte en lui des repères historiques et culturels très riches. Ce milieu incarne également tous les liens qui unissent l'humanité à la nature. Le défi qui se pose actuellement aux agriculteurs et aux agricultrices est de réussir à rallier les valeurs liées au progrès tout en révisant le rapport qui nous lie à la nature et à l'âme humaine, aux assises de la vie et à la foi qui ouvre à plus grand que soi. »

Jacques Grand'Maison, 2006 [27]

Au GRAND DAM DES VOYAGEURS !

Des voyageurs anglais, souvent des officiers servant dans les forces militaires, ont été marqués par les dévotions aux croix de chemin, car cette pratique les touchait de près : elle causait bon nombre de retards.

« Ces croix élevées dans une bonne intention sont une cause continuelle de retards pour les voyageurs ; et ces retards, quand il fait un froid vif, sont réellement insupportables pour des hommes moins dévots que les Canadiens ; car quand le conducteur d'une calèche, voiture couverte semblable à nos chaises de poste, arrive près d'une de ces croix, il saute en bas de son cheval, se met à genoux, et récite une longue prière, quelle que soit la rigueur de la saison. »

Thomas Anburey, 1776 [28]

On peut se questionner quant à la ferveur réelle de ces cochers qui s'arrêtaient systématiquement à chaque croix pour y réciter de longues prières par grand froid. À moins qu'il ne s'agît, quand on avait à son bord quelque capitaine anglais, d'une forme discrète d'obstruction…

Joseph-Elzébert Garneau, *Le Bon Dieu*

Le REPOS DES PORTEURS

La croix de chemin marque souvent une halte ; c'est un endroit privilégié pour s'arrêter. Ainsi, avant 1865, on portait les morts à pied et la marche pouvait être longue. On s'arrêtait alors devant une croix de chemin pour se reposer, et des piquets plantés dans la terre devant la croix permettaient d'y déposer le cercueil.

Le curé Antonio Arsenault raconte comment on s'adressait à la croix :

« Autrefois, on voyait souvent un paysan voyageant en voiture à traction animale qui passait devant une croix de chemin, qui soulevait son chapeau et disait : "Salut, ô bonne croix ! Croix de mon Sauveur, conduis-moi au ciel." Aujourd'hui, cela se voit plus rarement parce qu'on voyage en automobile. »

Antonio Arsenault, 1979 [29]

Jean-Claude Dupont, *L'arrêt des porteurs à la croix du chemin*

Route 138, Grondines

Se fier à la croix du chemin

Bernard Arcand

Être pilote et guider un navire sur le fleuve Saint-Laurent n'a jamais été une tâche de tout repos. Il faut dire que le grand fleuve est un capricieux qui aime défier les marins. Son parcours est sinueux, ses courants, sournois et ses vents, surprenants. Les navires doivent négocier avec des sections de bancs de sable changeants où le risque d'échouement est grand et puis, un peu plus loin, des secteurs rocailleux où une fausse manœuvre peut facilement provoquer une cale trouée. Tout cela par temps fréquemment brumeux, parfois pluvieux, sans parler des saisons spectaculaires qui font que le pilote est souvent aveuglé, par la neige ou le soleil.

Certains navires minces, légers et puissants paraissent filer sur l'eau avec la grâce d'une libellule. Les cargos minéraliers avancent lentement, mais atteignent toujours leur destination. Les paquebots de croisière ajoutent sur les épaules du pilote la sécurité de plusieurs centaines de passagers. Dans une classe à part, les supercargos ou pétroliers géants repoussent les limites du chenal navigable et réduisent à quelques centimètres la marge de manœuvre d'une masse de plusieurs milliers de tonnes.

Du temps où les navires ne portaient pas encore le drapeau d'un quelconque paradis fiscal exotique et quand les équipages n'étaient pas tous malais ou philippins, il fallait que le pilote prenne également en compte la nationalité de l'armateur et des marins avec lesquels il devait collaborer. Ce qui lui fournissait, chaque fois, l'occasion de puiser dans une longue série de préjugés faciles. À la maison, même les meilleurs n'hésitaient pas à affirmer que certains marins n'auraient jamais dû quitter la mer Égée, que d'autres étaient davantage doués pour l'accordéon et la chansonnette, que les communistes étaient toujours fiables mais profondément sinistres, ou que le génie de la navigation viking était encore bien vivant en Scandinavie. Forcément, un préjugé défavorable ne faisait qu'alourdir la tâche.

Autrefois, c'est-à-dire avant l'utilisation des sonars, radars et autres systèmes de guidage électronique, la navigation nocturne demeurait quasi impensable. Les pilotes naviguaient à vue et, de préférence, par beau temps. Pour bien lire le fleuve, ils utilisaient les bouées et les phares mis en place et entretenus par le ministère des Transports, bien sûr, mais aussi un grand nombre de « marqueurs » aucunement officiels que chaque pilote apprenait à reconnaître par expérience. Toute structure verticale pouvait servir, une haute tour ou un clocher, de même que n'importe quel repère visible à distance : une toiture de couleur vive, un grand chêne ou les restes d'une auberge calcinée.

Remontant le fleuve, à l'approche d'un méandre particulièrement risqué, près de Grondines, le pilote d'expérience savait qu'il devait amorcer son changement de course au point précis où le clocher de la rive sud forme une ligne droite avec la croix du chemin sur la rive nord. Par temps clair, la manœuvre était facile, le voyage serait bon et les anciens disaient « Dieu soit loué ! » Mais par temps sale et maussade, la croix du chemin devenait invisible et, soudain, dans le doute, le pilote trouvait matière à blasphémer.

+ + +

Île d'Orléans

À partir de gauche : 1. Laval, 2. Saint-Frédéric, 3. Farnham

4. Ripon, 5. Saint-Pierre-de-Broughton, 6. Contrecœur

Les FÊTES ANNUELLES AUX CROIX

Le mois de Marie a été institué par Rome au XVIII siècle et popularisé ici dans la seconde moitié du XIX siècle par le clergé et les enseignants. La dévotion à la Vierge étant bien ancrée chez les gens, la pratique s'est implantée rapidement. Les dévotions ont lieu tout le long du mois de mai, coïncidant avec l'époque des semailles. Les *maîtresses d'école* avaient l'habitude de venir avec leurs élèves, à l'heure du midi, décorer et faire leurs dévotions à la croix les jours de mai. Lorsque les écoles de rang ont disparu, on a cessé de célébrer autant le mois de Marie.

Route 138, Saint-Ignace-de-Loyola À gauche : Sainte-Perpétue

AGENOUILLÉS DANS L'HERBE FRAÎCHE

« C'était une bonne chance que les petites gens de la région aient eu cette grande croix de chemin comme lieu de rendez-vous communautaire. En effet, le temple paroissial était situé beaucoup trop loin et les travaux de la ferme à cette époque du printemps finissaient beaucoup trop tard à chaque jour pour qu'il fût possible de se rendre le soir au village pour cette série de belles dévotions quotidiennes et maintenant traditionnelles des nôtres. À partir du soir du premier mai, toutes les familles du voisinage, à pied, se rendaient en grappes par la route du rang en causant entre elles de choses et d'autres et en discutant de leurs divers problèmes et embarras du moment. Cela sentait bon le long du chemin et, comme pour participer à la fête, les grives et les rossignols y allaient de leurs plus beaux chants de fin de jour. Puis lorsque tout ce monde épars finissait par arriver au site de la croix, c'était la plus vieille grand-mère qui prenait aussitôt la charge des opérations et réclamait le silence. Tout le monde alors s'agenouillait en pleine terre ou dans l'herbe fraîche et, cela, expliquait l'abbé, comme dans l'église, c'est-à-dire les hommes d'un côté, les femmes de l'autre. On entreprenait aussitôt de réciter la grande prière du soir, ensuite on faisait de même avec le chapelet dans son entier. Et toutes ces

augustes paroles s'élevaient gracieusement vers les premières étoiles qui commençaient à briller dans l'arôme du parfum des lilas, des boules de neige, du trèfle d'odeur, de la terre elle-même fraîchement remuée et des divers arbres fruitiers du voisinage déjà remplis de fleurs et qui semblaient tout heureux de cette gentille visite en pleine nuit. Mais à présent tout ce monde se mettait à nouveau debout. C'était le moment du geste ultime de cette belle solennité. Sur le signal de la grand-mère, tous entonnaient aussitôt à l'unisson, et avec un enthousiasme évident, le cantique bien particulier de cette mémorable occasion. Les voix paysannes étaient, sans doute, un peu rudes. Mais la mélodie nocturne, sortant de ces robustes poitrines qu'on ne voyait plus dans l'obscurité, se répandait en tous sens dans le calme des champs en produisant un effet presque magique qu'on ne peut vraiment décrire. Puis la cérémonie communautaire de cette nuit de printemps étant terminée, cette masse paisible, un peu plus heureuse et réconfortée, se dispersait par petits groupes dans la noirceur presque en silence et sans bruit, chacun étant confiant de pouvoir retrouver facilement son chemin vers sa destination individuelle. »

Hector Grenon, 1974 [30]

Route 132, Deschaillons

La même croix, quelques mois plus tard.

Le mois de Marie

Sylvain Rivière

Que nous allions à la statue

En famille chez Noré Barriault

Rose nous aspergeait de vertus

D'indulgences et de lumbagos

Monseigneur avec ses bas mauves

Faisait la tournée des grands-ducs

En entonnant d'une voix rauque

Accompagné par l'aqueduc

C'est le mois de Marie

C'est le mois le plus beau

À la Vierge chérie

Chantons ce chant nouveau

Un peu plus purs de jour en jour

Parés pour le dépucelage

Nous aimions à parler d'amour

Comme d'un très très long voyage

Et dans la cédrière à Mick

Nous allions compter les bleuets

Gonflés comme des bombes atomiques

Qui chantonnaient à plein corset

C'est le mois de Marie

C'est le mois le plus beau

À la Vierge chérie

Chantons ce chant nouveau

Puis ce fut le jour du voyage

Chacun a pris son baluchon

Pour aller compter les nuages

Ancrés au large de l'horizon

Aujourd'hui on parle d'hier

En dessinant des lendemains

Qui garderaient dans leurs prières

Quelques mots de ce vieux refrain

C'est le mois de Marie

C'est le mois le plus beau

À la Vierge chérie

Chantons ce chant nouveau

Ti-Luc a vendu la statue

À un antiquaire de la ville

C'est un gros coup pour la vertu

Que s'boucher l'œil avec un cil

La croix de chemin est pourrie

Monsieur le curé s'est pendu

Rose et Noré en paradis

Entonnent encore comme à regret

C'est le mois de Marie

C'est le mois le plus beau

À la Vierge chérie

Chantons ce chant nouveau

AU CIEL, AU CIEL, AU CIEL…

10ᵉ Avenue, East Broughton

Grand Rang Sainte-Catherine, Saint-Cuthbert

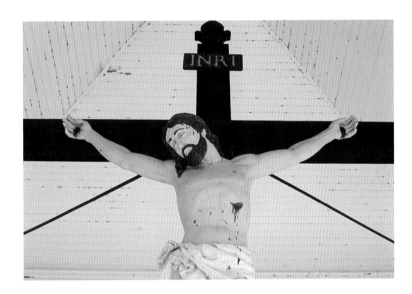

À partir d'en haut : 1. Deschaillons, 2. Trois-Rivières, 3. Sainte-Geneviève-de-Batiscan

Rue Arthur-Sauvé, Lachute

Le Calvaire pendant le sermon

Le CALVAIRE D'HUBERDEAU

« Les RR. PP. de la Société de Marie, toujours guidés par l'inspiration du Bienheureux Grignon de Montfort, et désirant propager la glorieuse installation du grand Calvaire de Pont-Château, en France, ont essayé de continuer, *en petit*, cette salutaire dévotion au Crucifix ; et, depuis trois ans, ils ont élevé sur un tertre, près de l'église du canton d'Arundel (village d'Huberdeau), un Calvaire qui sera bientôt la première station d'un grand Chemin de Croix. Le site choisi, l'orientation, la direction de la route et des distances entre chaque station seront à l'unisson et en parfaite conformité avec la voie douloureuse de Jérusalem. Depuis sa fondation, le Calvaire d'Arundel attire, avec une progression étonnante, chaque année, les populations catholiques et même beaucoup de protestants des contrées du Nord. Cette année, les dix paroisses du « Royaume du curé Labelle », depuis Saint-Sauveur en remontant vers le Nord-Ouest, se sont donné rendez-vous au pied du Calvaire d'Arundel. Les dignes curés de ces dix paroisses et missions étaient en tête du cortège, et le défilé de la procession, composée de douze cents personnes, produisait un effet tout à fait émouvant, tant la piété édifiante et recueillie de ces colons rappelait les premiers temps de la colonie. Un train spécial du chemin de Montfort amena une foule d'étrangers de Montréal, Saint-Jérôme et d'ailleurs. La fondation paraît si profondément enracinée dans l'âme et le cœur des colons du Nord, qu'il est maintenant proposé d'en faire une œuvre cantonale ; chaque paroisse désirant avoir sa propre station sur la voie douloureuse en y gravant, sur le piédestal, le nom de la paroisse qui l'aura érigée ; dès lors, le Calvaire d'Arundel sera chaque année le rendez-vous général des catholiques du Nord.

J.-C. Auger, 1899 [31]

Encore très vivant et visité, le calvaire d'Huberdeau est spectaculaire avec ses vingt-sept personnages mesurant plus de deux mètres et pesant environ 315 kg. Construit en 1892, le premier calvaire était fait de bois. Entre 1910 et 1920, on procéda à l'actuelle version en fonte de fer bronzée. Tous les samedis soirs, par beau temps, de la Saint-Jean-Baptiste à la fête du Travail, on y célèbre la messe. Et à chaque année, le premier dimanche d'août, il y a un important rassemblement qu'on appelle la fête du Calvaire.

Calvaire d'Huberdeau

Route 138, Trois-Rivières

La FÊTE-DIEU

La Fête-Dieu ou fête du Saint-Sacrement est célébrée le soixantième jour après Pâques et commémore l'institution du sacrement de l'Eucharistie. À l'époque, cette journée était marquée par une procession du Saint-Sacrement. Il fallait désigner des reposoirs qui marqueraient des arrêts dans la procession. Pour éviter les rivalités entre fidèles, on s'arrêtait aux croix de chemin.

« Je me rappelle avec émotion les joyeuses veilles de Fête-Dieu quand la Jeunesse rieuse du village faisait la cueillette des fleurs printanières pour embellir le Reposoir et décorer la Croix du Chemin. Je ressens encore le pieux orgueil de jadis, en reconnaissant au jour ensoleillé du Lendemain les pivoines et les boules de neige du jardin paternel parmi les bouquets de narcisses et de tulipes qui ornaient l'autel rural et la Croix de la grande route. À mes oreilles résonnent encore les chants rustiques des paysans endimanchés dont la longue théorie, hommes, femmes et enfants, faisait un cortège admirable de recueillement à l'Adorable Eucharistie. En passant, on saluait la Croix d'un "Spes Unica" réconfortant, puis l'on continuait jusqu'au Reposoir la marche un peu fatigante, mais agréable quand même, sous les frondaisons nouvelles, sans souci des rugosités du Chemin du roi. »

Mlle Valois, 1903 [32]

Le JOUR DES ROGATIONS

Le jour des Rogations marquait le début d'une période de trois semaines pendant laquelle il était interdit de célébrer des mariages. Lors de cette journée, le dimanche précédant l'Ascension, on suivait les paroles de l'Évangile : « Demandez ce que vous voudrez et cela vous sera accordé. » (Jean 15 : 7) On pratiquait le jeûne et le curé venait bénir les cultures.

« Au jour des Rogations, toutes les contemporaines de ma grand-mère venaient à la Croix dans l'après-midi qui suivait la sainte Matinée, alors qu'à l'office divin, on avait demandé au Ciel de fertiliser la Terre. On semait au pied du bois sacré quelques grains bénits et leur germination hâtive faisait présager une moisson abondante ; les pronostics ne se réalisaient pas toujours, mais ces âmes simples et sincères nourrissaient ainsi leur foi de toute l'ardeur de leurs espoirs croyants. »

Mlle Valois, 1903 [33]

2ᵉ Rang Est, Rimouski

Le MAUVAIS SORT

On se réunit souvent aux croix de chemin pour conjurer le mauvais sort. On croit que les inondations, les sécheresses, les invasions de chenilles ou de sauterelles sont des manifestations divines, souvent punitives. On se tourne alors vers la croix de chemin pour « annuler » le mauvais sort et l'on se réunit pour prier.

Au rang Petit-Bois-d'Autray, madame Tarte a conservé une prière qu'elle a récitée de 1963 à 1973, parce que les récoltes avaient été mauvaises les années précédentes. Elle assure qu'elles furent bonnes par la suite.

« Écoute nos prières, Seigneur, alors que nous crions vers toi, et accorde un temps serein à ceux qui te supplient, afin qu'après avoir été justement affligés pour nos péchés prévenus par la miséricorde, nous ressentions les effets de ta clémence. » [34]

Route 132, Saint-André-de-Kamouraska

Route 112, Saint-Frédéric

À partir d'en haut : 1. Les Boules, 2. Saint-Laurent, 3. Sainte-Flavie, 4. Laval

La CALAMITÉ DES TOURTES

« Un jour le vieux curé de la place avait, dans le temps, monté une vieille procession fort imposante en direction de la grande croix du rang de sa famille. L'intention bien arrêtée de cette intervention majeure était de *conjurer*, une fois pour toutes, la grande *calamité des tourtes* qui, paraît-il, nuisaient sérieusement aux récoltes. Par la suite, cette cérémonie n'avait jamais été oubliée. Car les vilaines tourtes qui, disait-on, mangeaient tout le blé sont alors parties pour les vieux pays d'Europe et n'en sont plus revenues. L'affaire avait certes été un franc succès. Depuis lors les tourtes dont se régalaient de temps à autre les anciens sont tout à fait disparues de notre pays. Il n'en reste plus. Il nous faut à présent recourir à d'autres ingrédients pour fabriquer notre mets national appelé « la tourtière ». Comme quoi la ferveur bien dirigée peut être d'une efficacité à toute épreuve et placer les puissances surnaturelles de notre côté. De la même façon, quelque temps plus tard, il fut décidé de mettre fin cette fois au périodique *fléau des sauterelles.* Elles aussi, à leur tour, avaient entrepris de faire des ravages dans les récoltes locales. Et, une fois encore, la dévote procession vers la vieille croix du rang aurait, selon les rapports, connu un franc succès. Les sauterelles avaient été trouvées le lendemain collées par grappes à la paille du grain, déjà mortes et toutes noires, mais n'émettant cependant aucune odeur. C'était les *anges du ciel* qui avaient fait cela d'après certains, ou plutôt le *démon* en personne, d'après d'autres, qui les aurait brûlées durant la nuit pour que les oiseaux ne les mangent pas. Un côté fort intéressant de l'affaire que, sans doute, personne n'avait prévu. Encore une fois, la ferveur avait eu gain de cause. Et c'était très bien comme cela. »

Hector Grenon, 1974 [35]

Fiers de Notre Foi
en souvenir du 250°
Anniversaire de Ste-Marie
1994

1. Sainte-Marie-de-Beauce, 2. Saint-Frédéric

Croix de Christian Jodoin, Rougemont

La CROIX DES JODOIN

«Tous les lundis de mai, les habitants de Rougemont et des environs se recueillent autour d'une des cinq croix de chemin de cette paroisse pour y réciter le chapelet. Une tradition qui a repris vie il y a un peu plus de 10 ans. Chaque année, l'endroit accueille entre 50 et 100 personnes pour prier la Vierge Marie. Cette croix, c'est celle de Christian Jodoin. Anciennement à l'église du village de Rougemont, elle a été récupérée par M. Tétreault, dont la terre a été vendue à Jean Jodoin, père de Christian. Même s'il ne fréquente pas souvent l'église, l'agriculteur tient à la croix de chemin qui, selon lui, appartient également aux gens du village. Avec leurs trois enfants, Christian et Lorraine ont fait partie du rassemblement du lundi 30 mai 2005. Jacques Chaput, curé de la paroisse : "Les gens sont fiers de cette tradition et nombreux à se déplacer. Ce sont eux qui organisent la récitation du chapelet aux croix de chemin, pas moi. L'une d'elles, située sur la montagne de Rougemont, s'est conservée grâce à un comité désigné les Amis de la croix. Je crois qu'elle se transmet à la jeune génération", indique Jacques Chaput. "Tout dépend de nous, de l'importance que nous accordons à la transmission de la foi et de l'esprit dans lequel nous le faisons. Si nous perpétuons nos traditions religieuses dans le regret ou le mépris, nous ne récolterons pas grand-chose." »

Isabelle Éthier, 2006 [36]

Rue Mailhot, Saint-Pierre-les-Becquets

La croix des chemins du sixième rang de Saint-Valérien

Jean Bédard

Au sud de Saint-Valérien se trouve une vaste solitude de forêt, de lacs et de rivières. L'hiver, personne ne s'aventure aussi loin. Vit là une souche familiale qui en est à sa dernière survivante (madame Cimon), et plus loin encore, un couple nouvellement marié (Manon et Jean-Guy) qui ne s'est pas encore aperçu de son isolement. C'est tout. Le reste respire et meurt à l'état végétal ou animal

C'était un soir de froidure et de poudrerie. Je lui avais claqué la porte au nez. J'aurais voulu la tuer. Je préférais mourir de froid, nu-mains, nu-tête et en queue de chemise dans le monde en chamaille qui s'évaporait dans la nuit et le vent. Ma douce brunette avait enfoncé le glaive au bon endroit. Elle connaissait ma vieille plaie. Elle l'avait explorée. Je la lui avais confiée. Elle pouvait viser juste. Je savais que j'allais mourir ainsi. Je le savais depuis le début, depuis l'anniversaire de mes huit ans. Ce jour-là, s'était imposé à moi un des commandements de ma plaie : Si je cède à l'amour, je mourrai englouti dans l'inévitable trahison qui suivra. « Maman, tu n'aurais pas dû me faire ça. Huit ans, c'est trop jeune pour une perfidie comme celle-là. » Certaines blessures sont mortelles. Peu importe la femme qui reprendrait le glaive, elle me noierait dans mon propre sang à la première trahison. C'était ce soir-là, un soir de froidure, un soir parfait pour une agonie suspendue depuis trop longtemps. En courant sur le sixième rang de Saint-Valérien, à l'envers d'un blizzard qui hurle noroît, les mains devant la face et les oreilles au vent, il n'est pas nécessaire de se tuer pour mourir. Une minute vaut un siècle d'usure, dans une heure, je serai déjà fossilisé. Bravo ! Tant pis ! Manon, t'aurais pas dû me faire ça. Demain tu trouveras un corps momifié que même tes seins nus ne pourront réchauffer. Tu n'auras pas loin à marcher pour rire de ma dernière impuissance.

À la croisée du rang six et de la route de Saint-Guy menant à la réserve Duchénier, il y a une ridicule croix des chemins, blanche comme du lait. À son pied, une Madone bleue soupire au ciel. C'est là que je me suis arrêté parce qu'une bergerie du côté ouest bloquait le vent. Je n'étais d'ailleurs plus capable de courir, mes pieds avaient le poids des pierres. Et puis, c'était joli : se suicider devant le plus réputé des suicidaires.

Oh ! maman, que tu m'as conté l'histoire ! Surtout le jour où tu nous as fait tout un plat de ta mort. Le récit s'est planté de travers dans toutes les promesses que tu nous as arrachées « en Son Nom ». Il monte à Jérusalem, il pourfend les vendeurs et les changeurs, il insulte la curie juive et s'attaque à l'ordre établi pour nous planter son amour dans le cœur… Tu parles ! Je la connais cette farce et attrape : « Après tout ce que j'ai fait pour toi, Jean-Guy… Mes sacrifices, mes malheurs, tout ce que j'ai enduré… Tu peux pas me faire ça… » Pilate, César, Napoléon, c'est rien à côté de ce pouvoir : ton chantage, Son chantage, votre chantage. « Tu vas finir par me tuer, Jean-Guy… » Le crucifix au-dessus de la tête de lit, le visage de sang qui regarde le petit Jean-Guy… « Tu resteras pur, Jean-Guy, ton cœur est à maman. » Eh oui ! Maman, je rachèterai tous les hommes, surtout ton père et ton grand-père. Je serai Jésus, j'ouvrirai mon flanc à ton amour et tu pourras planter ta lance de dix mille ans de ressentiment pour l'homme charnel, aujourd'hui, ton fils, ton enfant dont tu as violé le cœur.

Alors, maman chérie, regarde-moi mourir devant Lui ! Demain, Manon trouvera mon corps, intact, gelé, enfin pur, le visage ouvert à celui qui, le premier, utilisa sciemment son martyre pour écraser le monde à ses pieds. Le funambule ! En trois heures, il nous a rendus éternellement coupables de ramper par terre dans nos déchirures. Et je rampe dans mes vieilles blessures… devant la croix, ta croix, ma croix.

Une croix blanche dans de la neige enragée, tu ne la vois pas, elle te voit. Chaque dimanche, la vieille madame Cimon, notre corpulente voisine, piquait une rose écarlate dans la main de la Vierge, une rose qui ne se fanait jamais, faite d'un vieux tissu de famille qu'elle disait rare et qu'elle découpait avec la plus grande économie. La fleur d'une semaine, elle l'enterrait au pied de la Croix et la remplaçait par une toute fraîche. Cela durait depuis des lunes, depuis que son benjamin avait été écrasé sous un tracteur. « J'irai le rejoindre lorsque je n'aurai plus de tissu. » C'est ce qu'elle avait confié à Manon. Depuis trois semaines, la rose était un peu plus grosse. Comme moi, la vieille était pressée d'en finir.

La tache rouge brillait au milieu de la grisaille glacée. Là, se démembraient les dernières lumières de ma dernière journée de rampeur.

Le vent hurlait dans le toit de la grange et retombait enragé à quelques mètres de la croix. J'étais un peu à l'abri, j'allais mourir un peu plus lentement, peut-être dans trois heures. Mes doigts blanchissaient, mon cœur ravalait le sang, mes pensées gémissaient de plus en plus calmement.

Maman n'avait jamais rien dit de sa blessure, mais quand elle nous épluchait un souvenir, il y avait toujours une ombre mâle qui rôdait dans l'angoisse. Un père n'est pas obligé d'être là pour installer son chantage à lui. Au contraire, il a avantage à se tenir loin, mystérieusement absent. « Notre père qui est aux cieux ! » Et il manque à l'enfant. C'est son arme. À partir de là, il peut traîner son enfant jusque sur une croix, horizontale ou verticale, selon le besoin. Mon grand-père était de ce genre : un monstre d'absence qui engendra dans la petite fille trahie un monstre de mère présente, ainsi va ma douce famille. Alors moi, j'avais inscrit dans ma chair l'interdit de faire un enfant. Et ma douce Manon, aux ongles si longs, s'est fait un nid dans cette blessure et dans ce nid, posément, lentement, elle se vengeait de son propre père. Ce soir, maman ! J'arrête cette manie humaine de transmettre la mort en même temps que la vie. Bénis soient le froid et la glace qui embrasseront un jour le cosmos entier étouffant dans la cendre le spasme tragique de nos ridicules langueurs…

La bergerie, justement, hurlait au vent. Cela me faisait sourire. Je me sentais dans le futur de tous les hommes : le corps refroidi, le cœur engourdi, l'amer qui retourne à la mer. Les fleuves de chair charrient leurs alluvions jusqu'à l'océan. Le tragique disparaît dans les valses marines. Bienheureux ceux qui souffrent, car la mort les soulagera ! Je crois que je me serais endormi à ce moment-là, mais dans le hurlement du vent, mon oreille discriminait un gémissement qui n'était pas le mien ni celui du vent. Un bêlement désespéré, aigu, chevrotant. Je fus long à le reconnaître. Il fallut que ma stupide tempête intérieure coagule un moment dans le froid. Libéré, j'entendais distinctement : un agneau du troupeau de madame Cimon appelait au secours.

Je m'arrachai de ma torpeur et réussis à déplacer mes pieds de béton jusqu'à la bergerie. Un agneau était sorti entre deux planches que le vent avait refermées. « Bienvenue en ce doux monde », lui chuchotai-je à travers mes mâchoires immobiles. « Attends, je vais te ramener à la chaleur du troupeau. » Il se laissa prendre entre mes deux bras rigides. Je fis péniblement le tour du bâtiment. La porte du bercail restait coincée dans la glace. « Bon, il faudra monter jusqu'à la maison de la vieille Cimon. Ça va poudrer ! Accroche-toi. »

L'animal réussit à se glisser dans ma chemise et j'entrepris mon chemin de croix. La maison de la vieille Cimon n'était pas si loin, deux arpents au plus. Mes jambes avaient lâché. À genoux, deux arpents, c'est long ! Je priai mon cœur de tenir jusqu'à l'habitation. L'agneau me réchauffait la poitrine. Ni mains ni pieds ne répondaient, à peine si les articulations des hanches et des épaules me permettaient d'avancer. J'étais comme euphorique dans ma membrure tétanisée. Mon corps de bois obéissait de plus en plus lentement, mais sans se plaindre. Il n'y avait qu'une fine douleur qui grinçait entre mes entrailles vivantes et les glaçons vitreux qui s'accumulaient dans mes dernières articulations mobiles. La friction stridente me tenait réveillé. J'avais tellement sommeil. Je suppliais la souffrance d'augmenter un peu sa torture, car je voulais aller porter l'agneau à madame Cimon.

La douleur engendrait un curieux sentiment qui s'agrandissait doucement : mourir en donnant la vie. Rien ne semblait aussi vieux. J'avais l'impression d'entrer dans une artère primordiale de l'existence, une artère plus vieille que le premier soleil, comme si dans la mort inévitable du cosmos s'engendrait, maintenant, un être nouveau, libre et exalté. J'allais sécréter une parcelle de cet être. Tout le monde sidéral était un ventre pour un enfant qu'il fallait faire. Un peu de cet enfant jouait dans ma chemise et je goûtais dans mes dernières douleurs, la joie de le produire. Je disparaissais en lui.

Tout mon effort consistait à entretenir la délicate douleur que mes pénibles mouvements engendraient. Rien ne m'apparaissait aussi important que brasser cette dernière braise. Mes poumons roulaient dans ce feu. J'avançais en faisant tourner la roue de cette généreuse douleur. Mes membres obéissaient comme des rames de bois. Mon cœur s'agitait dans mes poumons en attisant des flammes bleues. Je voyais la maison de haut, comme si mes deux yeux m'avaient déjà quitté et m'attendaient en haut d'un surplomb. En bas, la poudrerie faisait rage et l'homme frigorifié avançait comme une tortue à travers des blocs de glace.

Les trois marches de la galerie approchaient comme une montagne. Je me concentrai sur la douleur que j'arrivais à ranimer en frappant sur le tambour de mon cœur. Je n'occupais plus que la petite surface du faible battement. Par gonflement du sang, je me hissais. Par relâchement, je retombais. Je roulai enfin sur la galerie. On aurait dit un grand glaçon de caverne s'écrasant sur une dalle de marbre. Le fracas de ma chute emporta ma dernière douleur dans une fente de lumière. L'agneau lança un bêlement. Madame Cimon ouvrit.

« Dieu du ciel, Jean-Guy ! »

L'agneau déguerpit dans la maison. Il sautillait autour du poêle en glissant sur ses sabots. Mon cœur sourit et détendit doucement son ultime étreinte. Madame Cimon avait agrippé ma chemise et tirait sur mon corps trop lourd. Elle utilisait tout son poids. Je lui chuchotai de laisser faire, qu'il était trop tard, de regarder l'agneau gambader près du feu… Elle n'entendit rien, me traîna au pied du poêle, ferma la porte.

« Mon Dieu ! Jean-Guy, qu'est-ce que t'as fait ? »

Je l'entendis téléphoner à l'urgence avec l'angoisse d'une mère pour son enfant. Elle raccrocha. Je ne pouvais rien faire pour la rassurer.

« P'tit Jésus ! L'urgence, ici, par un temps pareil ! S'ils arrivent avant demain matin, ce sera un record ! Le pauvre sera mort… Manon, je téléphone à Manon… Non ! Ça va lui briser le cœur. Son beau Jean-Guy, elle l'aime déjà trop. Y faut juste que je le réchauffe. Un point c'est tout. Y'a pas d'autre espoir. »

Elle s'agenouilla par terre, ouvrit sa chemise de nuit et couvrit mon corps glacé.

« Mon doux Jésus ! Il est allé mourir pour rien devant la croix des chemins. Quelle misère ! Personne n'a rien compris. On a beau répéter l'histoire deux mille ans par dix millions de croix plantées partout, cette histoire de croix ne nous rentre pas dans la tête. C'est pourtant pas la mer à boire. On veut pas souffrir tout seul, sans blesser quelqu'un qu'on aime. Eh oui ! mon Jean-Guy, Manon a couché avec ton meilleur ami parce que t'as peur d'être un homme et t'as peur d'être un homme, parce que ta pauvre mère t'a ridiculisé. Ta mère se vengeait de son père qui se vengeait de je ne sais plus qui… Ainsi de suite, ainsi soit-il. C'est-y pas banal ! Il y a des variantes dans chaque famille et ça grossit comme une boule de colère. Alors Lui, Il est monté à Jérusalem et toutes nos violences ont convergé sur Lui. On l'a massacré. Il se disait qu'à force de regarder une croix on finirait par comprendre… »

« Comprendre quoi ? » J'étais incapable d'articuler quoi que ce soit. J'étais aux trois quarts mort et flottais dans un espace tranquille au-dessus du poêle.

Mais la vieille Cimon avait l'air de comprendre mes questions.

« Voilà, homme, ce que tu fais de toi-même : tu te crucifies, tu ajoutes ta haine de la mort à la mort, tu ajoutes ta haine de la souffrance à la souffrance. Tu aggraves tout… Je vais te résumer l'Évangile, mon Jean-Guy : S'il existe quelque part un être qui n'est pas mortel, supposons un dieu ou un ange, cet être ne pense qu'à venir mourir avec nous. C'est plus fort que lui. Mourir pour donner la vie, c'est le secret. S'il voit un malheureux agneau qui tremble de froid à côté d'une grange, il marchera, à genoux s'il le faut, pour le sauver. Il aime cette histoire universelle de la mort pour la vie. C'est le secret de la métamorphose, Jean-Guy, c'est juste le secret de la métamorphose… »

Ses larmes glissaient sur les joues de mon cadavre. Je voyais les grosses gouttes tomber et pourtant, je sentais sa joie, sa grande joie d'être embarquée dans l'aventure des métamorphoses. Moi-même, j'étais en paix.

+ + +

Route 112, Saint-Joseph-de-Coleraine

10e Avenue, East Broughton

La SENTINELLE DES CHAMPS

« Bien des Calvaires s'élèvent le long de la mer étendant leurs bras gris sur l'immensité des flots. Ils sont grands, ils sont solennels, ces Calvaires qui ont vu tant de malheurs, entendu tant de sanglots. À voir ces tristesses, à entendre ces plaintes, ils sont brisés de fatigue, et semblent vouloir se laisser tomber eux aussi, s'en aller dormir enfin, avec les morts de la mer que rien ne peut plus réveiller jamais. Les Calvaires de la mer sont tristes et solennels. Mais ils sont beaux aussi les Calvaires paisibles des routes qui veillent sur les champs, auprès des maisons endormies… Ceux-là ont un air doux qui repose. Quand il y a un Christ de fer sur la Croix de bois, et qu'on veuille bien le regarder un peu, on trouve qu'il ressemble à tous les habitants qu'on connaît. Il en a la fatigue sereine, le sourire naïf et doux. Son geste éternel semble fait de pitié… Il a l'air de nous regarder et de nous dire : "Je suis le gardien des moissons. Je connais la faim incessante qui tourmente les hommes affamés, et je protège les blés qui leur donnent du pain. Mon visage est impassible et mes bras sont inertes, mais l'ombre que j'étends sur la plaine est une ombre bienfaisante qui chasse les ténèbres mauvaises. Je suis la sentinelle des champs, le muet soldat de la terre. Je suis le père des paysans, je les aime ; je suis heureux quand un soleil fécond dore les flancs de leurs coteaux, et qu'un riche automne comble leurs greniers." Ainsi parlent les Calvaires des routes, veillant sur les maisons endormies. J'en connais un qui s'élève sur une colline, loin, bien loin des villes, dans une vallée silencieuse que de grandes forêts vierges entourent. Un silence infini règne dans cette nature que l'on croirait sortie d'hier des mains de Dieu. Quand on a fini de contourner le chemin capricieux qui mène à cette vallée, on aperçoit le Calvaire dressé dans cette solitude comme un roi et un maître. Un rosier sauvage grimpe autour, et quand le soleil le darde, sur le haut du jour, le Calvaire tout-à-coup s'embrase et ressemble à un grand bûcher où flambent des roses : emblème de l'éternelle beauté que la Croix jette sur le monde. »

Blanche Lamontagne-Beauregard, 1930 [37]

Le FIN MOT DE L'HISTOIRE

D'objets de culte à patrimoine culturel, les croix de chemin sont le produit d'un travail de générations, un travail artistique, souvent. Le curé Antonio Arsenault disait, dans *Un patrimoine méprisé*, qu'on soulevait autrefois son chapeau lorsqu'on passait devant une croix de chemin. Certes, on ne porte plus autant de chapeaux, mais qui sait, après avoir refermé cet ouvrage, on descendra peut-être plus volontiers de sa voiture, intrigué par telle croix encore debout, coincée entre deux panneaux de signalisation, et on ira lire la petite histoire sur la plaque, pour se souvenir.

Route 132, Rivière-Ouelle

Route 138, Yamachiche

Rue Saint-Joseph, Saint-Ignace-de-Loyola

Références

[1] H.P. Biggar, *Voyages de Jacques Cartier,* 1924, p. 20, reproduit dans John R. Porter et Léopold Désy, *Calvaires et croix de chemins du Québec,* Montréal, Hurtubise HMH, Les cahiers du Québec, collection Ethnologie québécoise, 1973, p. 45.

[2] Père Pierre Biard, *Relation de la Nouvelle France,* dans Lucien Campeau, *Monumenta Novæ Franciæ,* Volume I, La première mission d'Acadie (1602-1616), Québec, Les Presses de l'université Laval, 1967, p. 584.

[3] Thwaites, *The Jesuit Relations,* Vol. XXIX, 1646, p. 132, reproduit dans Jeanne Pomerleau, *Corvées et quêtes Un parcours au Canada français,* Montréal, Hurtubise HMH, Cahiers du Québec, collection ethnologie, 2002, p. 79.

[4] Joseph-H. Courteau, *La croix du chemin,* Concours de la Société Saint-Jean-Baptiste de Montréal, 1916, p. 98, reproduit dans John R. Porter et Léopold Désy, *Calvaires et croix de chemins du Québec,* Montréal, Hurtubise HMH, Les cahiers du Québec, collection Ethnologie québécoise, 1973, p. 134.

[5] Léo-Paul Desrosiers, *La croix du chemin,* Concours de la Société Saint-Jean-Baptiste de Montréal, 1916, p. 50, reproduit dans John R. Porter et Léopold Désy, *Calvaires et croix de chemins du Québec,* Montréal, Hurtubise HMH, Les cahiers du Québec, collection Ethnologie québécoise, 1973, p. 132.

[6] Extrait des papiers de la famille Naud de Deschambault conservés par Alban Naud, reproduit dans John R. Porter et Léopold Désy, *Calvaires et croix de chemins du Québec,* Montréal, Hurtubise HMH, Les cahiers du Québec, collection Ethnologie québécoise, 1973, p. 59.

[7] Alphonse Leclaire, *Le Saint-Laurent historique, légendaire et topographique de Montréal à Pictou et à Chicoutimi sur le Saguenay,* Montréal, imprimé par la Compagnie de publications, 1906, p. 77.

[8] Extrait de Marielle Coulombe, *Histoire de Saint-Fabien, 1828-1978,* 1978, p. 341, reproduit dans Jeanne Pomerleau, *Corvées et quêtes Un parcours au Canada français,* Montréal, Hurtubise HMH, Cahiers du Québec, collection ethnologie, 2002, p. 85.

[9] Note communiquée par Claire Guay et reproduite dans Paul Carpentier, *Les croix de chemin : au-delà du signe,* Musée national de l'Homme, collection Mercure, Centre canadien d'études sur la culture traditionnelle, dossier n° 39, Ottawa, Musées nationaux du Canada, 1981, p. 91.

[10] Léon Trépanier, « Croix du chemin, calvaires de nos routes », *La Patrie,* 22 août 1954, p. 34.

[11] Extrait de Damase Potvin, *Le Saint-Laurent et ses îles,* 1940, p. 185, reproduit dans Jeanne Pomerleau, *Corvées et quêtes Un parcours au Canada français,* Montréal, Hurtubise HMH, Cahiers du Québec, collection ethnologie, 2002, p. 84.

[12] Léon Trépanier, « Croix du chemin, calvaires de nos routes », *La Patrie,* 5 septembre 1954, p. 34.

[13] Isabelle Éthier, « Que sont devenues les croix de chemin de nos campagnes », *Le Coopérateur agricole,* février 2006.

[14] Hector Grenon, *Us et coutumes du Québec,* Montréal, éditions La Presse, 1974, p. 192-193.

[15] Jean Simard, *L'art religieux des routes du Québec,* Sainte-Foy, Les Publications du Québec, collection Patrimoines. Lieux et traditions, 1995.

[16] Extrait de J. Edmond Roy, *Lettres du Père François-Xavier Duplessis de la compagnie de Jésus,* reproduit dans John R. Porter et Léopold Désy, *Calvaires et croix de chemins du Québec,* Montréal, Hurtubise HMH, Les cahiers du Québec, collection Ethnologie québécoise, 1973, p. 48.

[17] Jean Simard, en collaboration avec Jocelyne Milot et René Bouchard, *Un patrimoine méprisé. La religion populaire des Québécois,* Montréal, Hurtubise HMH, Cahiers du Québec, collection Ethnologie, 1979, p. 35.

[18] Témoignage d'Antonio Arsenault recueilli dans Jean Simard, en collaboration avec Jocelyne Milot et René Bouchard, *Un patrimoine méprisé. La religion populaire des Québécois,* Montréal, Hurtubise HMH, Cahiers du Québec, collection Ethnologie, 1979, p. 42-44.

[19] Notes du *Bulletin Paroissial de Notre-Dame de Paspébiac*, reproduites dans Léon Trépanier, « Croix du chemin, calvaires de nos routes », *La Patrie*, 22 août 1954, p. 34.

[20] Notes du notaire Richard Lessard, reproduites dans Léon Trépanier, « Croix du chemin, calvaires de nos routes », *La Patrie*, 15 août 1954, p 34.

[21] Notes fournies par Pierre Wilson, directeur du Musée des maîtres et artisans du Québec.

[22] Hector Grenon, *Us et coutumes du Québec*, Montréal, éditions La Presse, 1974, p. 187.

[23] Lionel Groulx, *Les Rapaillages*, à propos de la croix du rang du Bois-Vert à Saint-Michel, reproduits dans Léon Trépanier, « Croix du chemin, calvaires de nos routes », *La Patrie*, 8 août 1954, p. 40.

[24] Propos de Lionel Groulx recueillis dans Hector Grenon, *Us et coutumes du Québec*, Montréal, éditions La Presse, 1974, p. 187.

[25] Extrait de Pehr Kalm, *Travels in North America*, Vol. II, p. 416, traduit et reproduit dans John R. Porter et Léopold Désy, *Calvaires et croix de chemins du Québec*, Montréal, Hurtubise HMH, Les cahiers du Québec, collection Ethnologie québécoise, 1973, p. 51.

[26] Isabelle Éthier, « Que sont devenues les croix de chemin de nos campagnes », *Le Coopérateur agricole*, février 2006.

[27] Jacques Grand'Maison, dans Isabelle Éthier, « Que sont devenues les croix de chemin de nos campagnes », *Le Coopérateur agricole*, février 2006.

[28] Lettre datée du 16 novembre 1776, publiée dans Thomas Anburey, *Journal d'un voyage fait dans l'intérieur de l'Amérique Septentrionale*, Paris, 1793, p. 66, et reproduite dans John R. Porter et Léopold Désy, *Calvaires et croix de chemins du Québec*, Montréal, Hurtubise HMH, Les cahiers du Québec, collection Ethnologie québécoise, 1973, p. 53.

[29] Témoignage d'Antonio Arsenault recueilli dans Jean Simard, en collaboration avec Jocelyne Milot et René Bouchard, *Un patrimoine méprisé. La religion populaire des Québécois*, Montréal, Hurtubise HMH, Cahiers du Québec, collection Ethnologie, 1979, p. 41.

[30] Hector Grenon, *Us et coutumes du Québec*, Montréal, éditions La Presse, 1974, p. 190.

[31] J.-C. Auger, « Le Calvaire d'Arundel », *Le Monde illustré*, vol. 16, n° 804, 30 septembre 1899, p. 339.

[32] Chronique de Mlle Valois publiée d'abord en 1903 sous le pseudonyme d'Atala et reproduite dans Léon Trépanier, « Croix du chemin, calvaires de nos routes », *La Patrie*, 15 août 1954, p. 34.

[33] Chronique de Mlle Valois publiée d'abord en 1903 sous le pseudonyme d'Atala et reproduite dans Léon Trépanier, « Croix du chemin, calvaires de nos routes », *La Patrie*, 15 août 1954, p. 34.

[34] Prière manuscrite conservée par madame F.R. Tarte de Lanoraie et reproduite dans Paul Carpentier, *Les croix de chemin : au-delà du signe*, Musée national de l'Homme, collection Mercure, Centre canadien d'études sur la culture traditionnelle, dossier n° 39, Ottawa, Musées nationaux du Canada, 1981, p. 106.

[35] Hector Grenon, *Us et coutumes du Québec*, Montréal, éditions La Presse, 1974, p. 189.

[36] Isabelle Éthier, « Que sont devenues les croix de chemin de nos campagnes », *Le Coopérateur agricole*, février 2006.

[37] Extrait de Blanche Lamontagne-Beauregard, *Récits et légendes*, Montréal, Beauchemin, 1930, reproduit dans Léon Trépanier, « Croix du chemin, calvaires de nos routes », *La Patrie*, 8 août 1954, p. 40.

Liste des œuvres reproduites

PAGE 18 *Le Menhir du champ Dolent,* carte postale. Éditeur : Germain fils aîné, Saint-Malo. Collection : Georges Bertrand. Menhir du champ Dolent, près de la ville de Dol, département d'Ille-et-Vilaine, région de Bretagne. C'est aujourd'hui le plus grand menhir encore debout en France, il fait 9 mètres de haut. La croix en bois à son sommet n'existe plus depuis très longtemps.

PAGE 20 *Le menhir de Bazouges-la-Pérouse,* carte postale. Collection : Georges Bertrand. Menhir situé entre les villes de Rennes et de Saint Malo, département d'Ille-et-Vilaine, région de Bretagne. Il a la particularité d'avoir la croix sculptée directement dans la pierre. On la voit derrière le mot « menhir » en haut de la carte postale. Il existe toujours.

PAGE 20 *Menhir Calvaire de St-Duzec en Pleumeur,* carte postale. Collection : Georges Bertrand. Menhir situé dans la commune de Pleumeur, département des Côtes d'Armor, région de Bretagne. Monument païen orné d'emblèmes chrétiens.

PAGE 24 Louis-Charles Bombled, *Jacques Cartier prend possession du Canada,* gravure. Collection : René Chartrand. Photographie : René Chartrand. Publication : Eugène Guérin, *La Nouvelle-France,* Paris, Hachette, 1904.

PAGE 26 Samuel de Champlain, *L'abitasion du port royal,* 1613, dessin. Publication : Samuel de Champlain, *Les voyages du Sieur de Champlain,* Paris, Jean Berjon, 1613, tome 1, p. 78. Collection : Collections spéciales et livres rares, Direction des bibliothèques, Université de Montréal. Photographie : Pawel Andrzejewski.

PAGE 36 *La croix du Mont-Royal lorsqu'elle sera terminée,* carte postale. Collection : Bibliothèque et Archives nationales du Québec.

PAGE 40 *Livernois, Au Lac Saint-Jean : Groupe d'indiens Montagnais (à la Pointe Bleue),* photographie. Publication : *Le Monde illustré,* vol. 7, nº 328, 16 août 1890, p. 248. Collection : Bibliothèque et Archives nationales du Québec. Photogravure : Armstrong.

PAGE 50 Horatio Walker, *De Profundis,* 1916, huile sur toile. Collection : Musée des beaux-arts du Canada, Ottawa. Photographie : Musée des beaux-arts du Canada.

PAGE 86 *Colonne de tempérance à Beauport,* photographie. Photographie : Service de l'audio-visuel de l'université Laval. Publication : Jean Simard, et coll., *Un patrimoine méprisé,* à la page 146 ; photo tirée de : *25ᵉ Anniversaire de l'Érection de l'Église paroissiale Giffard (1934-1959),* non paginé, légende : « Colonne de tempérance érigée par Chiniquy à Beauport et bénite en 1841 par Mᵍʳ de Forbin-Janson. »

PAGE 97 *Les croix de chemin sur la côte de Gaspé,* carte postale. Éditeur : H.V. Henderson, West Bathurst. Collection : Bibliothèque et Archives nationales du Québec.

PAGE 100 Clarence Gagnon, *La croix de chemin à l'automne,* 1916, huile sur toile. Collection : Musée des beaux-arts du Canada, Ottawa. Photographie : Musée des beaux-arts du Canada.

PAGE 114 Cornelius Krieghoff, *Le blizzard,* 1857, huile sur toile. Collection : Musée des beaux-arts du Canada, Ottawa. Photographie : Musée des beaux-arts du Canada.

PAGE 131 Madeleine Arbour, *À voleur volé,* 2000, bois et métal. Collection : Musée des maîtres et artisans du Québec. Photographie : Pierre Wilson.

PAGE 138 John Lambert, *The Town of Three Rivers,* entre 1806 et 1808, dessin. Publication : John Lambert, *Travels Through Lower Canada and the United States of North America,* Londres, Baldwin, Cradock and Joy, 1816, p. 478-479. Collection : Collections spéciales et livres rares, Direction des bibliothèques, Université de Montréal. Photographie : Pawel Andrzejewski.

PAGE 140 Nicholas Morant, *Wayside Cross at Baie St. Paul,* 1946, photographie. Collection : Archives du Chemin de fer Canadien Pacifique.

PAGE 158 *Calvaire Odilon Grenier,* 1977, photographie. Photographie : Inventaire des biens culturels. Publication : Jean Simard, et coll., *Un patrimoine méprisé,* à la page 39 avec une légende à la page 273 : « Cette cérémonie au pied de la croix eut lieu en 1977, pendant le mois de Marie, à East-Broughton-Station. Juste derrière la croix, on aperçoit M. Odilon Grenier qui sculpta avec l'aide de son père le corpus actuel. »

PAGE 161 Joseph-Elzébert Garneau, *Le Bon Dieu,* 1919, fusain. Photographie : François Brault. Publication : Jean Simard, *L'art religieux des routes du Québec,* à la page 5.

PAGE 163 Jean-Claude Dupont, *L'arrêt des porteurs à la croix du chemin,* 1976, huile sur toile. Collection : Pierre Lessard. Photographie : Service de l'audio-visuel de l'université Laval. Publication : Jean Simard, et coll., *Un patrimoine méprisé,* à la page 40.

PAGE 182 A.J. Dumas, *La fête du calvaire à Huberdeau : Le calvaire pendant le sermon,* photographie. Publication : *Le Monde illustré,* vol. 16, n° 804, 30 septembre 1899, p. 345. Collection : Bibliothèque et Archives nationales du Québec.

Les photographies en couleur reproduites
dans cet ouvrage sont de Vanessa Oliver-Lloyd
à l'exception des suivantes :

François Brault, *Calvaire de Saints-Anges,* 2005, page 82

Isabelle Éthier, *Calvaire des Laflamme,* 2005, page 85

Isabelle Éthier, *La croix de Rosaire Pion,* 2005, page 145, n° 4

Isabelle Éthier, *La croix des Beauregard,* 2005, page 147

Isabelle Éthier, *La croix des Jodoin,* 2005, page 196

Marie-Christine Lévesque, *Calvaire d'Huberdeau,* 2007, pages 185, 224

Hélène Pedneault, *Croix de Saint-Zénon,* 2007, page 116

Société d'histoire de Warwick inc., *Croix de Warwick,* page 44

Bibliographie

Lucien Campeau, *Monumenta Novæ Franciæ*, Volume I, La première mission d'Acadie (1602-1616), Québec, Les Presses de l'université Laval, 1967.

Paul Carpentier, *Les croix de chemin : au-delà du signe*, Musée national de l'Homme, collection Mercure, Centre canadien d'études sur la culture traditionnelle, dossier n° 39, Ottawa, Musées nationaux du Canada, 1981, 484 p.

Isabelle Éthier, « Que sont devenues les croix de chemin de nos campagnes », *Le Coopérateur agricole*, février 2006, consulté sur le site Internet http://www.lacoop.coop/cooperateur/articles/2006/02/p48.asp

Michel Feuillet, *Lexique des symboles chrétiens*, Paris, Presses Universitaires de France, collection Que sais-je ?, 2004, 127 p.

Serge Gauthier, Nathalie Belley et Julie Brassard, *Les croix de chemin dans Charlevoix : un héritage à conserver*, Conseil régional de pastorale de Charlevoix, 1990, 75 p.

Hector Grenon, *Us et coutumes du Québec*, Montréal, éditions La Presse, 1974, chapitre « Les très nombreuses croix de nos chemins de naguère ».

Alphonse Leclaire, *Le Saint-Laurent historique, légendaire et topographique de Montréal à Pictou et à Chicoutimi sur le Saguenay*, Montréal, imprimé par la Compagnie de publications, 1906, 254 p.

Jeanne Pomerleau, *Corvées et quêtes Un parcours au Canada français*, Montréal, Hurtubise HMH, Cahiers du Québec, collection ethnologie, 2002, 430 p.

John R. Porter et Léopold Désy, *Calvaires et croix de chemins du Québec*, Montréal, Hurtubise HMH, Les cahiers du Québec, collection Ethnologie québécoise, 1973, 145 p.

Jean Simard, *L'art religieux des routes du Québec*, Sainte-Foy, Les Publications du Québec, collection Patrimoines. Lieux et traditions, 1995, 56 p.

Jean Simard, *Le Québec pour terrain Itinéraire d'un missionnaire du patrimoine religieux*, Québec, Les Presses de l'université Laval, 2004, 242 p.

Jean Simard et Jocelyne Milot, *Les croix de chemin du Québec, Inventaire sélectif et trésor*, Ste-Foy, Les Publications du Québec, collection Patrimoines, 1994, 510 p.

Jean Simard, en collaboration avec Jocelyne Milot et René Bouchard, *Un patrimoine méprisé. La religion populaire des Québécois*, Montréal, Hurtubise HMH, Cahiers du Québec, collection Ethnologie, 1979, 309 p.

Collectif, *La Croix du chemin*, Montréal, Concours de la Société Saint-Jean-Baptiste de Montréal, 1916, 160 p.

J.-C. Auger, « Le Calvaire d'Arundel », *Le Monde illustré*, vol. 16, n° 804, 30 septembre 1899, p. 339.

Léon Trépanier, « Croix du chemin, calvaires de nos routes », *La Patrie*, articles publiés du 8 août au 12 septembre 1954.

Route 138 et terrasse Laplante, Lavaltrie

Index des croix et calvaires par villes et villages

Route 148, Thurso

10ᵉ Avenue, East Broughton

Table des matières

Achevé d'imprimer en Chine

troisième trimestre 2007